du rififi
dans les poireaux

Collection dirigée par
Christian Poslaniec

ISBN : 2-86726-229-1

Robert Boudet

du rififi dans les poireaux

Illustrations de
Domnok

Milan

Robert Boudet est né à Vichy, en 1941. Il vit actuellement dans la proche banlieue de Paris et a eu l'occasion, au cours des années, de voir bien des coins verts se transformer en cités grises.
C'est le septième livre pour enfants de Robert Boudet. Il a publié les autres, notamment à l'École des loisirs, et le dernier chez Castor poche. Il a aussi beaucoup écrit pour le théâtre (une pièce et des sketches à la télé), pas mal de poésies, et dans des revues comme Mikado.
Il est professeur de français dans un collège de la banlieue parisienne, et comme il anime des groupes de jeunes depuis longtemps, il les connaît bien. Et si cela se trouve, Marco, le héros de ce roman, Robert Boudet l'a rencontré quelque part, et c'est lui qui a raconté l'histoire. Allez savoir !

Depuis qu'elle a usé ses gommes sur les planches à dessin de l'École des Arts Décoratifs de Strasbourg en atelier d'illustration, **Dominique Osuch**, alias Domnok, tente de satisfaire sa boulimie d'images par une pratique forcenée du dessin, et notamment grâce à l'illustration pour enfants (contes dans Mikado par exemple).
A 24 ans, elle aime aussi dévorer ses crayons et pinceaux en dessinant pour les « adultes » et en faisant de la peinture... pour le plaisir.

Les particularités de l'histoire

D'abord, c'est un vrai roman policier pour enfants, avec tous les ingrédients du genre : énigmes à résoudre, filatures, poursuites, bagarres... Et même si c'est un enfant qui prend l'initiative de mener l'enquête, cela n'a rien à voir avec les pseudo-détectives en herbe des séries communes. Marco se comporte comme un enfant, et doit recourir aux adultes chaque fois qu'il rencontre une difficulté.

Mais à l'intérieur de l'histoire, d'autres thèmes intéressants apparaissent :

— la vie des ouvriers du bâtiment, et plus particulièrement celle d'immigrés espagnols (dont un a connu la guerre d'Espagne, en 36) ;

— l'évolution d'un site dans le temps (Grégoire évoque comment c'était autrefois, et on assiste à la dernière transformation).

— les relations possibles entre enfants et personnes âgées au sein d'une cité nouvelle.

Enfin, c'est évidemment un livre qui permet d'introduire un débat écologique sur « la guerre entre les arbres et le béton ».

Pour Marie,
ces poireaux sans rififi.

1

Une mystérieuse disparition

LE panneau, à l'entrée du chantier, annonce fièrement : FORÊT-LA-VILLE, construction de 500 logements. Il y a déjà quelques logements. La forêt, elle, a reculé. Trois groupes d'immeubles sont pratiquement terminés.

Tout autour, dans les tranchées ouvertes et la terre chamboulée, des bulldozers et des pelleteuses creusent, tremblent, gémissent. Des camions sillonnent le terrain de leurs six roues énormes. Des ouvriers, casqués de jaune, vont et viennent autour des bétonnières et des grues qui tournent dans le ciel leurs longs becs d'acier.

Marco, assis sur la plus haute butte du coin, une butte de gravats et de terre blanche, contemple le chantier. Depuis plusieurs mois qu'il vient ici, il a vu le paysage se transformer sans cesse, comme au cinéma. C'est d'ailleurs une de ses distractions favorites, le cinéma.

Les arbres ont disparu les premiers sous l'assaut des tronçonneuses glapissantes. Puis la terre s'est ouverte. On y a coulé la lave grise du béton. Les murs se sont dressés à vue d'œil, en plaques énormes enlevées par les grues comme des cartes à jouer et assemblées par les fourmis jaunes.

Dans ce paysage qui ressemble à un immense terrain vague secoué par une guerre de science-fiction, juste au fond, sur la gauche, une curieuse bicoque s'adosse contre le reste de la forêt.

C'est là qu'habite Grégoire.

Marco connaît bien le bonhomme. Il a eu du mal à s'en approcher parce qu'il n'est pas commode. Un petit vieux méfiant, avec de longues moustaches blanches, un béret délavé qu'on croirait vissé à sa tête, toujours vêtu, quel que soit le temps, d'un tricot de laine et d'un pantalon de velours rapiécé au derrière.

Il est souvent dans son jardin, un bout de terre grand comme la main, le dos voûté sur sa pioche avec laquelle il chatouille la terre pour la rendre plus légère. A côté de ses gestes presque tendres, les coups de mâchoires féroces des excavatrices paraissent tout simplement monstrueux.

Marco s'est approché un peu plus à chaque visite, comme on fait avec un animal sauvage.

A la fin, il a été assez près pour lui crier un mot gentil. Le vieux a redressé la tête, juste un instant, a bougonné dans sa moustache et s'est remis à grattouiller.

La fois suivante, Marco a apporté une brioche. Le vieux a essuyé son front d'un revers de manche, son œil gauche un peu fermé. Marco a su plus tard que c'est, chez lui, un signe d'émotion. Appuyé sur le manche de sa binette (il a fait rire Marco en disant ce mot et c'est pourtant ainsi que ça s'appelle), il a mastiqué doucement la brioche, avec, de temps en temps, un soupir de satisfaction. Marco a pu visiter le jardin. La semaine d'après, il entrait dans la maison.

Ah ! la maison !

Une petite cuisine carrelée de rouge, sombre comme une caverne à cause des grands arbres, avec, dans un coin, un vieux poêle en fonte, astiqué comme un louis d'or ; quelques fagots, une table recouverte d'une toile cirée à fleurs, réparée aux coins, un évier en pierre grise au-dessous d'une fontaine émaillée, et surtout, un buffet imposant comme un monument, couvert de volutes, de torsades et de rigolos personnages, le tout taillé dans un bois verni et luisant. Le buffet fabriqué par son grand-père : il aurait mis dix ans à le terminer. Marco en est resté béat. Attenante à la cuisine, une minuscule chambre occupée par un grand lit haut sur pattes où s'épanouit une couette gonflée comme une baudruche. Au mur, des photos sépia dans des cadres jaunis où l'on voit des personnages sérieux, habillés en dimanche avec des cols durs, des grandes moustaches noires et de longues robes gonflées pour les dames, coiffées de curieux chapeaux à voilette.

C'est tout pour la maison.

Pourtant, Marco, en dépit de la fierté de Grégoire qui lui faisait faire le tour du propriétaire, a vite appris le drame. Il avait la forme d'une lézarde, sournoise, maligne, en haut du mur de façade de la cuisine et dans laquelle on aurait presque pu glisser la main.

Et Grégoire a montré du poing le chantier dont on entendait le vacarme par la fenêtre ouverte, en disant d'une voix hérissée par la colère :

— Ils m'auront pas !

Parfois aussi, quand il fait pluvieux, ils vont s'asseoir dans la cuisine,,,

Marco a pris l'habitude de rendre visite régulièrement au bonhomme.

C'est un peu la même chose chaque fois. Les vieilles personnes aiment bien se répéter comme si elles récitaient une leçon par cœur.

Grégoire lui parle de son jardin, lui montre les radis, les carottes, les choux, les salades. Marco ne voit rien parce qu'il n'y a rien encore, mais il sait que tous ces mots vont un jour sortir de terre pourvu qu'il y ait du soleil et de la pluie — les deux en même temps ! — et que le gel leur fiche la paix ! « C'est drôle, pense Marco, les immeubles ça a l'air de pousser bien plus vite, avec ou sans soleil. » Mais il ne le dit pas pour ne pas contrarier son vieux camarade. Il dit « camarade » car Grégoire ne lui a jamais demandé son prénom et chaque fois qu'il le voit venir, il lui lance : « Ah ! voilà mon camarade ! »

Parfois aussi, quand il fait pluvieux, ils vont s'asseoir dans la cuisine et Grégoire enfourne de grosses bûches moussues dans le poêle en fonte. Là, il ne dit rien. Il tire sur une vieille bouffarde dont Marco apprécie l'odeur mentholée. Il regarde le feu ronfler derrière la plaque en mica de la petite porte, il secoue de temps à autre le cendrier pour attiser le foyer et crache, à intervalles réguliers, dans un plat en cuivre. Marco se rappelle avoir vu le même plat dans un western et ça l'avait beaucoup surpris.

Le jeune garçon sent, qu'à ces moments-là Grégoire est trop loin de lui pour parler. Alors, il essaie d'écouter ce que chantent les flammes.

Petit à petit, il a appris toute son histoire.

Grégoire vit là depuis plus de cinquante ans. La maison est entourée de bois. Il y avait un étang à la place du chantier. Son père était garde forestier. C'est une sorte de médecin de la nature. Il était chargé de veiller à la bonne santé des arbres, des plantes et des animaux. Il était employé par un milliardaire qui possédait des dizaines d'hectares de forêt mais qui n'y venait qu'une ou deux fois par an parce qu'il habitait de l'autre côté du monde.

Quand son père est mort, Grégoire a pris sa suite. Et puis le milliardaire est mort à son tour. Alors ses enfants ont partagé l'héritage. Ils sont venus avec plein de messieurs en costume-cravate pour dire à Grégoire qu'il fallait partir, qu'on allait construire une ville nouvelle. Un autre monsieur en noir — un notaire à ce qu'on dit — a sauvé Grégoire en lui apprenant que le vieux milliardaire lui avait légué, de l'autre bout du monde, le morceau de terre et la maison où il vivait. Grégoire a chassé les costumes-cravates et a juré que s'ils revenaient, il les recevrait à coups de chevrotines. Et il avait montré à Marco le fusil pendu au-dessus de son lit, bien astiqué, « prêt à servir ».

En réalité, cela ne s'était pas passé aussi facilement que le racontait Grégoire. Marco l'apprendrait par la suite. Le vieil homme n'avait rien d'un tueur et sa nature naïve et généreuse avait bien failli lui causer des tours. Mais son orgueil était grand et il ne voulait pas qu'on se dise qu'il pouvait se laisser berner.

Depuis, les choses étaient allées très vite. On avait comblé l'étang. On avait rasé presque toute la forêt. L'enfer avait commencé pour le vieillard.

Il avait reçu des lettres, qu'il avait toutes brûlées, dans lesquelles on lui promettait des sommes exorbitantes avec plein de zéros ; Grégoire ne savait même pas les compter tant il y en avait ! Puis les bulldozers s'étaient rapprochés. Il avait dû construire une palissade tout autour de son jardin.

Avant, il allait de temps à autre à la ville voisine pour s'acheter du tabac et du vin. Depuis le début des travaux, il avait demandé au facteur de lui servir de commissionnaire.

Comme c'était un brave facteur, il avait accepté. Tous les jours, il apportait donc des provisions au vieux bonhomme, et surtout son journal quotidien. Ce n'est pas que Grégoire s'intéressait tellement aux nouvelles de l'actualité (l'actualité pour lui s'appelait surtout carottes, salades ou poireaux), non, ce qui le passionnait dans le journal, c'étaient les mots croisés. Le vieux jardinier, malgré ses doigts déformés par les rhumatismes, avait l'orgueil des simples : il aimait les jeux de réflexion. Ainsi, il ne se serait pas endormi sans avoir complété sa grille quotidienne. « Faut pas laisser rouiller les méninges ! » disait-il à Marco. Ces mots, rangés dans leurs petites cases, il les appelait ses « garde-mémoire ». « Sous les mots, il y a les idées ! disait-il encore à Marco. Et sans les idées, on ne fait rien de bon. »

Mais, depuis quelques semaines, il devait s'en faire... des idées, le pauvre vieux !

Grégoire ne sortait plus.

Les bulldozers s'étaient encore rapprochés.

Et c'est alors que ça avait commencé !

ÇA ! C'est-à-dire la lézarde, la grande blessure dans les murs fatigués de sa bicoque.

Tous les matins, quand il se réveillait, le vieux allait scruter l'état du désastre. Hélas, la lézarde grandissait un peu plus chaque jour et il balayait régulièrement les plâtras qui ternissaient le beau carrelage rouge.

Or, cet après-midi-là — on était mercredi — il pleuvotait, un petit crachin qui piquait les paupières. Marco ne fut pas étonné de ne pas voir son « vieux camarade » dans le jardin. Il l'appela du dehors. Pas de réponse. Il fit le tour de la maison, pensant le trouver à son bûcher qu'il réapprovisionnait régulièrement en débitant les branches mortes. Personne ! La fenêtre étant ouverte, il jeta un coup d'œil à l'intérieur. Elle donnait sur la chambre : le lit était défait. Ce détail intrigua Marco. Il savait Grégoire trop ordonné pour se laisser aller à cette négligence. Il appela une nouvelle fois. Toujours rien. Il se décida alors à entrer. Il connaissait le secret de la barrière et de la porte que Grégoire avait munies d'une fermeture spéciale. ELLES ÉTAIENT OUVERTES. ET LA MAISON ÉTAIT VIDE.

Il entendit du bruit dehors. Sur le chemin défoncé, il aperçut une grande voiture noire auprès de laquelle deux hommes en costume-cravate discutaient. Ils tapotaient sans cesse leurs belles chaussures de cuir enduites de boue blanchâtre.

Ils furent très surpris en voyant Marco.

— Qu'est-ce que tu fais là ? dit le plus grand.

— Et vous ? rétorqua Marco sans se laisser impressionner par les belles lunettes à monture dorée de son interlocuteur.

— Tu me parais bien insolent...

— Je suis venu voir mon oncle !... coupa Marco.

Son mensonge avait fait pâlir les deux hommes.

— Ton oncle ?... Mais...

— Où est-il ?

Ils se regardèrent, l'air visiblement très gênés, puis les lunettes dorées dirent :

— Il a eu une attaque... Une ambulance est venue le chercher en pleine nuit.

Avant que Marco leur demande à quel hôpital on l'avait transporté, les deux hommes remontèrent dans leur voiture, une BMW noire, nota le garçon, et disparurent sur les chapeaux de roue.

Marco resta un instant devant la barrière, un peu abasourdi. Grégoire se portait comme un charme, hier... Il est vrai que son grand âge...

Tristement, le garçon avançait sur le chemin bosselé quand il se pencha soudain sur des traces de roues et se mit à parler tout haut :

— Une ambulance ! Mais ce sont des menteurs !

En effet, ils mentaient. En dehors des traces laissées par la BMW, Marco avait découvert d'autres empreintes de roues et, visiblement, il y en avait... SIX !

2

Une piste

DANS un coin du chantier se dresse une sorte de roulotte en tôle ondulée qui sert d'abri aux ouvriers. Marco, après avoir traversé les ornières gorgées de boue, frappe à la porte. Une voix à consonance étrangère lui répond. Un peu impressionné, il ouvre la porte. Assis autour d'un plateau de bois posé sur deux tréteaux, une demi-douzaine d'hommes en cirés jaunes sont en train de déjeuner. En fait, ils plongent leurs fourchettes dans des récipients métalliques à couvercles qu'ils ont fait réchauffer dans une marmite d'eau bouillante. Tous ont suspendu leurs gestes, plus amusés que fâchés par l'intrusion de Marco.

— Quièn es ? demande enfin un gaillard brun. Qué veux-tou ? reprend-il dans un français écorché.

— Excusez-moi, bredouille Marco, je voudrais un renseignement.

— Tou sais qué c'est interdit dé vénir ici ? l'interrompt le gaillard.

— Oui, oui, je sais..., dit Marco en reprenant sa respiration. Mais je voudrais savoir si quelqu'un parmi vous connaît le vieux Grégoire...

— Qué Grégoire ? Lé chef dou chantier s'appelle monsieur Arthour... Pas Grégoire !

— Non, non... Je veux dire, le petit vieux qui habite la maison dans le petit bois.

Un jeune ouvrier au regard vif se lève alors :

— Moi, je le connais. Pourquoi veux-tu le voir ?

— Justement, je voudrais bien... Il a disparu.

— Qu'est-ce que tu dis ?

— Laisse le muchacho, Pedro !... C'est ouné blague. Mange ! Dans dix minoutes on réprend lé boulot...

— Attends ! enchaîne Pedro sans écouter son compagnon... Viens me raconter ça dehors !

Et il entraîne Marco devant la porte, laissant les autres murmurer dans son dos.

Il est grand, un peu voûté ; ses mains sont larges et marquées par des traces de ciment, surtout aux ongles.

Marco raconte son histoire depuis le début. L'autre écoute gravement. Puis, quand Marco a fini, il réfléchit un long moment, se gratte le nez et dit d'une voix posée :

— C'est bizarre ce que tu me racontes là... Je m'appelle Pedro. Je suis Espagnol mais comme je vis en France depuis dix ans, j'ai suivi l'école française. Je connais un peu le « loco », ça veut dire dingue, excuse-moi, c'est comme ça qu'on l'appelle au chantier. Dans mon pays, je suis jardinier mais, malheureusement, la terre ne rapporte pas assez pour nourrir tout le monde, alors je suis venu ici faire le maçon. Quand j'aurai gagné assez de pesetas, je retournerai là-bas et j'achèterai un grand jardin où je cultiverai des pastèques, des piments et des melons espagnols. Ils ressemblent à un ballon de rugby et ils sont tout jaunes.

Marco commence à s'impatienter, se demandant où Pedro veut en venir avec son histoire de melons.

— Alors, un jour, je suis allé voir le petit vieux dans son jardin. Il m'a d'abord jeté des pierres et puis je suis revenu.

— C'est normal, vous lui faites beaucoup de mal. Sa maison va s'écrouler si vous continuez à creuser avec vos grosses machines.

— Eh ! oui... C'est ce qu'il m'a expliqué... Mais ce n'est pas notre faute à nous. Nous sommes des ouvriers. On fait le travail qu'on nous commande, c'est tout...

Il se gratte de nouveau le nez avant de poursuivre :

— Comme il a vu que je m'intéressais à son jardin et que je m'y connaissais, il a enfin accepté de me parler. Je lui ai raconté mon pays. Je lui ai décrit les *huertas*, c'est des jardins, en espagnol. Et je lui ai même apporté des piments et des melons. Voilà comment j'ai fait sa connaissance... Maintenant, ce que tu dis m'inquiète parce que ça me rappelle ce que nous a dit un adjoint du patron, la semaine dernière.

— Qu'est-ce qu'il a dit ?

— Il a dit que D'UNE MANIÈRE OU D'UNE AUTRE, le vieux serait obligé de foutre le camp !

— D'une manière ou d'une autre... Mais c'est une menace ! Il n'a aucun droit sur lui. Ce petit bois et cette maison lui appartiennent.

— Bien sûr ! bien sûr !... Et c'est bien ce

Cette nuit, j'ai entendu le Mack quitter le chantier !

qui fait rager les entrepreneurs. Ils ne peuvent rien faire... légalement.

— Légalement, ça veut dire avec la loi ?...

— C'est ça... Alors j'ai peur...

— Ils l'ont enlevé, hein ?

— Tu as bien dit que tu étais son neveu ?

— Oui..., dit Marco en rougissant, j'ai menti et ça les a fait drôlement bisquer !

— Cette nuit, j'ai entendu le Mack quitter le chantier... Je n'y ai pas fait attention sur le moment parce que, parfois, on transporte le matériel la nuit pour éviter les encombrements.

Marco s'exclame :

— Le Mack, c'est ce gros camion à... six roues ?

— C'est ça... Les traces de pneus que tu as vues correspondent.

— Mais c'est honteux... Il faut prévenir la police !

Pedro se gratte furieusement le nez.

— Ils ne te croiront pas. Tu es un enfant. Quant à moi, en tant qu'étranger, je n'ai pas droit à la parole.

— Mais alors, qu'est-ce qu'on va faire ? s'impatiente Marco.

— Laisse-moi réfléchir !...

Les autres ouvriers sortent. Une sirène stridente retentit. C'est l'heure de la reprise.

Le grand gaillard brun fait signe à Pedro.

— Allons ! Il faut té dépêcher ! Monsieur Arthour va encore sé fâcher !

— J'arrive, Antonio, j'arrive ! fait le jeune ouvrier sans bouger.

Celui qu'il vient d'appeler Antonio hausse les épaules et s'éloigne en grommelant.

— Il a pas l'air commode ! C'est ton père ?

Pedro éclate de rire.

— Non... C'est un ours mal léché... Mais il est très brave. Tu sais, il a fait la guerre d'Espagne. Il a perdu toute sa famille là-bas. Il n'avait que 16 ans...

Marco remarque l'émotion du jeune ouvrier.

« La guerre d'Espagne, pense-t-il... Vaguement entendu parler... Faudra que je demande à papa. »

— Il m'a pris en amitié..., continue Pedro. Mais c'est vrai qu'il se prend un peu pour mon père... Bon, faut que j'y aille... Je vois monsieur Arthur qui s'excite... Où est-ce que je peux te retrouver ?

— J'habite dans le quartier des pavillons... Juste de l'autre côté de la colline...

— Bon, je te rejoins à six heures, au square Louis Blanc... D'accord ?

— Dis... tu vas trouver quelque chose ? supplie Marco, les larmes aux yeux.

— Oui, oui... T'inquiète pas... A ce soir !

Et Pedro rattrape le groupe de cirés jaunes.

Marco n'attend pas qu'un gros homme menaçant s'approche de lui. Il s'éloigne en courant. Son cœur bat très fort quand il entre de nouveau dans la petite maison.

Il jette un coup d'œil à la maudite lézarde, tourne autour de la table à la toile cirée ; des pensées tumultueuses l'agitent. Il relève une chaise renversée, ramasse un journal déplié.

Il se rappelle la passion de Grégoire pour les mots croisés. Il a dû commencer ceux qui sont imprimés sur le journal, hier soir avant de se mettre au lit, mais il n'a pas pu les finir, pour une fois.

Soudain quelque chose attire l'attention du garçon. Parmi les mots inscrits dans les cases par le vieux, il y en a un qui semble avoir été repassé au crayon, comme si on avait voulu le mettre en évidence. Malheureusement, il est inachevé. Marco cherche fébrilement la définition : « VERT. 2. Bataille napoléonienne qui a rendu célèbre le petit de la vache. » Et les premières lettres sont M.A.R.

Marco se répète la définition pour bien l'imprimer dans sa mémoire et il file consulter son livre d'Histoire. Il ne pensait pas qu'il lui servirait un jour à résoudre une énigme.

3

Au secours, Napoléon !

APRÈS avoir fouillé dans un fatras de livres, de cahiers et écarté les Lucky Luke et autres Tintin et Astérix, Marco réussit à mettre la main sur son livre d'Histoire. On y parle bien de Napoléon mais à part Austerlitz et Waterloo rien sur ses autres batailles. Il ne reste plus qu'à feuilleter le dictionnaire et à épeler tous les mots commençant par MAR. Le dictionnaire se révèle à son tour inopérant car il ne comporte pas les noms propres. Marco a un petit moment de découragement. Il entend la voix de sa mère qui s'impatiente :

— Marco, si tu ne descends pas manger tout de suite, je monte te chercher...

Non, non, surtout pas ça !... La dernière fois que sa mère est entrée dans sa chambre, ça s'est terminé en vrai Trafalgar... Tiens, une autre bataille de Napoléon ! Il faut dire que la conception de l'ordre chez le garçon est très particulière, à un point tel qu'il est obligé de déblayer son lit tous les soirs pour se coucher.

— J'arrive, maman ! crie-t-il pour la faire patienter.

Bon ! qu'est-ce qu'il me reste à faire ? C'est sûr que ce mot est un indice capital. Je ne vois pas pourquoi autrement le vieux Grégoire l'aurait ainsi souligné. Si ça se trouve, c'est l'endroit où il a été emmené...

Marco a soudain une illumination. Et s'il interrogeait son père !... Mais attention, discrètement. Pas la peine de mêler ses parents à cette histoire, ils risqueraient de s'inquiéter !

Cette idée le précipite dans l'escalier qu'il dévale quatre à quatre, aux grands cris de sa mère toujours prête à s'affoler d'une chute possible.

— Si tu continues à descendre comme ça, tu vas finir par te rompre le cou !

— Mais non, mais non, maman !...

Et il lui saute au cou, justement, pour lui montrer qu'il est bien vivant.

— Doucement, grand fou !... Où as-tu été traîner encore ?... Regardez-moi ces chaussures !

Eh ! oui ! il n'avait plus pensé à ça ! D'énormes plaques de boue blanchâtre recouvrent ses malheureuses sandales et laissent partout des taches accusatrices. Il rougit.

— Je suis allé jouer au terrain vague... On a fait des tranchées...

— Jusqu'à une heure de l'après-midi?... dit une grosse voix.

C'est son père qui a levé le nez de son journal pour le scruter sans ménagement. Marco craint un peu son père. Non qu'il soit méchant mais il parle peu et a de gros sourcils sévères qui se soulèvent quand il est mécontent. Depuis qu'il a eu son accident — il est tombé d'un échafaudage — le père de Marco vit cloué dans son fauteuil roulant en attendant le jour, improbable, où il retrouvera l'usage de ses jambes. Il passe par de grands moments de mélancolie qui le font demeurer immobile, le regard fixe. Marco craint particulièrement ces moments. Pourtant, comme il s'amusait bien avec lui... avant! Il se rappelle les grandes parties de ping-pong, les promenades au bord du canal et les courses dans les bois. Maintenant les parties de cartes ou de dominos ont remplacé, dans les bonnes périodes, les sorties sportives. Néanmoins, Marco sait que son père ne juge pas trop sévèrement ses virées au chantier. Il y voit sans doute un attrait pour les métiers du bâtiment, que lui-même ne peut plus pratiquer. Voilà huit mois qu'il tente, jour après jour, une rééducation difficile. Il a réussi à bouger un pied pendant ces huit mois et, dans ses instants d'optimisme, il pense que c'est bon signe. Pour l'heure, la mélancolie est au rendez-vous. Marco le sent à son regard un peu dur qui le fixe encore.

— Excusez-moi, je n'ai pas fait attention à l'heure.

— Tu étais en train de réviser pour demain, j'espère !

— Euh !... oui... J'ai un contrôle en Histoire.

— Je te ferai réciter ce soir, tu n'oublieras pas.

— Oui, papa, si tu veux...

— Allez, mange maintenant, ça va être froid !

Marco se jette avec un appétit d'ogre sur l'omelette aux pommes de terre qu'il adore et il se dit qu'il a bien fait de placer un jalon. Son contrôle d'Histoire, complètement inventé bien sûr, va lui permettre de poser ses questions.

— Dis, papa, glisse-t-il entre deux bouchées, Napoléon, il a livré beaucoup de batailles ?

— Oh oui !... Il a même fait que ça... Il a saigné la France à blanc et sacrifié des générations entières pour ses ambitions de conquêtes... Mais dis-moi, tu n'as quand même pas la liste des batailles à apprendre ?...

— Non, non... Mais il faut en citer quelques-unes...

— Tu connais évidemment Austerlitz et Waterloo, le haut et le creux de la vague, si l'on peut dire...

— Oui, évidemment, dit Marco en avalant un grand verre d'eau.

— Alors tu pourrais aussi citer Iéna, Friedland, Wagram...

« Zut ! se dit Marco, pas une seule qui commence par MAR. Tant pis, je me jette à l'eau ! »

— Y en a pas une qui a un rapport avec le veau ?

— Avec le veau ?... Qu'est-ce que c'est que ça ? sourcille le père.

— Marco, tu dis des bêtises ! Mange donc proprement ! ronchonne la mère qui lui sert une autre portion d'omelette.

— Eh ben oui... Ça commence par MAR, je crois...

— Ah ! tu veux parler de Marengo, je suppose... Il y a un boulevard qui porte son nom dans la vieille ville. Cette manie qu'on a de donner des noms de batailles aux rues !... Mais tu n'as pas besoin de la retenir... Elle n'est pas très importante... D'ailleurs, je crois bien qu'elle est plus connue par la recette de cuisine du veau Marengo... Tu ne te souviens pas ? Je vous en ai fait une fois ou deux... C'est très bon...

La mère hocha la tête en souriant. Il y a deux choses qui font parler son mari sans discontinuer : l'Histoire et la cuisine. Elle sourit aussi de le voir si bavard aujourd'hui.

Quant à Marco, son sang ne fait qu'un tour. Il contient son impatience jusqu'au yaourt puis, n'en pouvant plus, il bouscule sa chaise et se rue vers la porte.

— Ton assiette ! lance sa mère.

Cette injonction arrête net son élan. Il dérape sur le carrelage — cette maudite boue ! —, se rattrape de justesse à la porte et revient tout penaud en arrière pour débarrasser son couvert. Une habitude sacro-sainte dans la famille où tous les travaux ménagers sont partagés. Anna, la grande sœur, qui fait ses études dans une pension de la région n'y coupe pas quand elle revient au bercail.

La corvée accomplie, Marco se glisse plus

modérément vers la sortie et avant même qu'on l'ait interrogé, annonce :

— Je vais réviser avec Jean-Pierre. Je prends mon vélo.

— Ne rentre pas trop tard ! recommande une dernière fois la mère.

Il savait que son alibi ne souffrirait aucune contestation. Jean-Pierre est le crack de la classe et les parents de Marco ont toujours vu cette fréquentation d'un bon œil. Jean-Pierre est donc le meilleur des alibis pour les équipées clandestines.

Il faut bien que ça serve d'être bon élève !

A peine tourné le mur de la maison, Marco appuie de toutes ses forces sur les pédales. Boulevard Marengo ! Il n'a plus que ce but en tête ! Mais que va-t-il chercher au juste boulevard Marengo ?

Il ne le sait pas très bien mais il y fonce, et le premier carrefour est franchi à une allure record. Sûr que Bernard Hinault lui-même tirerait la langue en essayant de le suivre ! Ce n'est pas ce que pense la vieille dame qu'il a failli renverser et qui devra s'y reprendre à deux fois pour traverser.

« Tant pis ! pense Marco en imitant la sirène des pompiers avec sa bouche, il faut savoir prendre des risques. Qu'ont-ils fait à

Si je les retrouve, je les coupe en morceaux!

mon vieux camarade ? Si je les retrouve, je les coupe en morceaux et je les donne à manger à leurs bulldozers, non mais ! »

Marco sue et grimace en attaquant une courte mais dure montée. La langue entre les dents, il avale la côte comme un vrai grimpeur colombien. Ça lui rappelle un film où un homme n'a qu'une solution pour s'enfuir : un vieux vélo rouillé. Le garçon revoit le héros frôlant les précipices (ça se passe sur une route de montagne) pendant que ses poursuivants tentent de maintenir leur grosse voiture sur la route. « Finalement, se dit Marco, ce n'est pas les moyens qui comptent, c'est la manière ! »

Maintenant, il file, cheveux au vent, sur la grande avenue qui mène au centre-ville.

Mais que va-t-il donc chercher boulevard Marengo ?

En un éclair, il reconstitue les données du problème. Il revoit la petite maison, les Mack, ces monstres de quinze tonnes avec leurs six roues, et surtout la grande pancarte à l'entrée du chantier.

CONSTRUCTION DE 500 LOGEMENTS
Maître d'œuvre : Entreprise BOUCHARD
Siège social : Boulevard MARENGO

Et il rit, Marco... C'est quoi un siège social ? Une chaise pour s'asseoir en société ?... N'empêche ! Il sait maintenant ce qu'il va trouver bd Marengo !

4

Une visite musclée

SUR une cinquantaine de mètres du bd Marengo s'étendent les grandes portes des établissements BOUCHARD. Une plaque en cuivre annonce en lettres noires :

Entreprise Bouchard and Cie.
Siège social.

Des camions jaunes sont garés devant l'établissement. Marco doit slalomer pour parvenir à une ouverture. Des ouvriers s'affairent, chargeant ou déchargeant du matériel. Une pelleteuse mécanique traverse le porche. Des grues de toutes dimensions hissent leurs flèches par-dessus les toits. Au premier étage, de larges baies vitrées signalent des rangées de bureaux. Marco dissimule son vélo derrière une colline de sacs de ciment puis, attendant que le va-et-vient des ouvriers diminue, il en profite pour se glisser dans la cage de l'escalier. Son cœur bat la chamade.

Il sait, il sent que son vieil ami est ici.

L'escalier est large, sonore. Il gravit les marches de marbre qui mènent à un long couloir flanqué de part et d'autre de portes numérotées. Le bruit des machines à écrire couvre celui de sa respiration. Dehors, on entend le rugissement des moteurs. Si le père Grégoire est là, c'est sûr qu'on ne l'a pas caché dans un bureau. Pourtant, il faut essayer.

Il doit bien y avoir une dizaine de portes. Marco décide de les ouvrir toutes.

A la première, deux secrétaires, surprises, lèvent le nez de leur machine.

— Pardon !... Je cherche M. Arthur... Vous ne l'avez pas vu ?

— Non, mon petit... Demande plutôt au chantier !

— Merci, madame...

Huit portes plus tard, il réitère sa question quand il sent une main se poser sur son épaule. Une main ferme qui le retient solidement.

— Tiens ! tiens ! fait une voix goguenarde, mais c'est le petit neveu !

Il se retourne, tout en sentant la poigne se raffermir sur son épaule.

Malédiction ! l'homme aux lunettes dorées !

— Qu'est-ce que tu fiches ici?... Viens voir un peu, toi !

— Mais !... lâchez-moi !...

— C'est ça, c'est ça !...

Et il reçoit un grand coup dans le tibia qui le fait trébucher.

L'homme l'entraîne dans un vaste bureau, occupé en son centre par une table d'architecte couverte de plans. Dans un coin, se balançant sur une chaise, un gros homme à la mâchoire épaisse se cure tranquillement les ongles. Il a un petit sourire à l'entrée de Marco.

— Xav ! Je te présente le neveu du sieur Grégoire Lambert !

Le sourire du gros s'élargit, découvrant deux dents cariées.

Une violente poussée précipite le garçon aux pieds de l'imposant personnage.

— Excusez-moi, cher ami, ma main a glissé ! susurre l'homme aux lunettes dorées.

Marco se relève avec difficulté. Le gros lui tend une main couverte de poils noirs où brille une énorme chevalière en or marquée des initiales X. M.

— Enchanté, collègue !

Et il glousse, secouant son triple menton qui ballotte sur sa cravate défaite.

Marco sent sa main avalée par la poigne de l'autre. Celui-ci serre lentement. Les doigts du garçon craquent. Une violente douleur le traverse des pieds à la tête. Le gros le lâche enfin. Marco a les doigts exsangues.

— Xav ! voyons ! fait l'homme aux lunettes dorées, soyez gentil avec notre hôte !

— Oh ! pardonnez-moi, jeune homme... je suis tout confus, crachote le gros qui colle sa bouche postillonnante contre le visage du garçon paralysé.

Et il en profite pour recommencer son manège avec l'autre main de Marco.

Cette fois, il réussit à se dégager avant de se faire broyer les phalanges. Il fait un pas en arrière et lance à ses deux interlocuteurs, qui semblent visiblement s'amuser beaucoup :

— Vous avez kidnappé M. Grégoire... La police va vous arrêter !...

Un énorme éclat de rire salue sa menace. Le gros rit tellement qu'il en bave. L'homme aux lunettes est obligé de se les enlever pour les essuyer à cause de la buée. Une violente colère s'empare de Marco. D'un coup d'œil, il a vu la porte entrouverte sur le couloir. Pendant que les autres reprennent leur respiration, il se rue, évite une chaise, contourne la table ; il est presque à la porte, quand son pied gauche glisse — décidément, la boue ! — et il s'affale de tout son long sur le parquet. Il n'a pas le temps de se relever ; il se sent partir dans les airs, à demi étranglé par la brute qui le tient au collet. Une bourrade brutale le renvoie à terre et il se cogne la tête contre un dossier de fauteuil. « J'ai dû m'ouvrir le crâne », pense-t-il en un éclair.

Il sent en effet un liquide chaud lui couler sur le front.

— Xav !... Arrête !...

L'homme aux lunettes dorées fait reculer le gros. Il s'accroupit au niveau de Marco.

— Bon ! assez rigolé maintenant ! Les morveux de ton genre, on les écrase et on en fait de la pâtée pour chiens, t'entends ! Alors, écoute-moi ! M. Grégoire Lambert nous a suivis de son plein gré. Nous sommes en train de traiter une affaire avec lui. Ceci ne te regarde pas car tu sais très bien, petit menteur, que ton Grégoire n'a plus de famille... Seulement, monsieur le faux neveu, on n'aime pas beaucoup les curieux de ton espèce... On va donc te laisser un petit souvenir pour que tu évites de remettre les pieds dans ce bureau !

Marco n'a pas le temps de se protéger. Il reçoit une violente gifle qui lui fait rouler la

"Vous avez kidnappé M. Grégoire ... La police va vous arrêter !!"

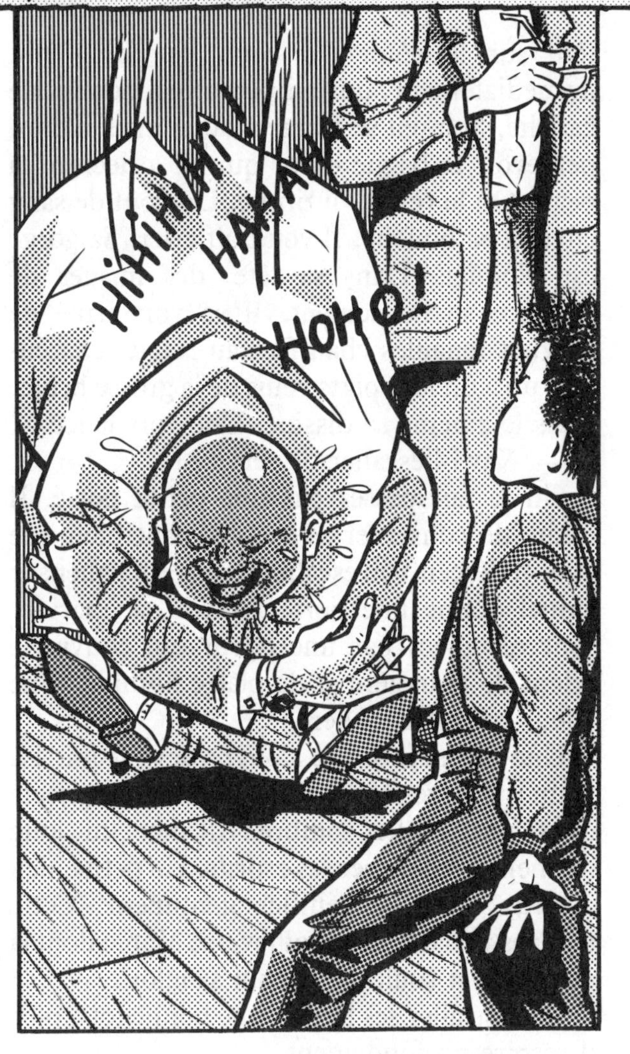

tête sur le côté. Un coup de poing suit immédiatement, qui lui percute la pommette gauche. Son œil se ferme à demi mais il croit percevoir la bague en or qui lui a déchiré la peau. On le relève, il titube. Un goût de sang envahit sa bouche. Il voudrait crier. Sa gorge est bloquée. Dans sa tête, des images de violence se bousculent. Il se voit armé de longues tenailles chauffées au rouge, charcutant un à un les doigts velus de la grosse brute. Mais le cinéma se dissipe. Une voix lance :

— Xav ! l'escalier de service !

On le fait passer par une petite porte. Il essaie de conserver sa lucidité tant bien que mal. Il descend un escalier étroit. Au palier sur lequel donne une porte fermée, ses narines sont réveillées par une odeur qui couvre le relent de poussière et de plâtre humide. Une odeur bien particulière.

Une dernière porte s'ouvre devant lui. La main qui le retient le lâche enfin. Il est éjecté dans une ruelle sombre. Il met un long moment à recouvrer ses esprits. Un petit chien curieux vient le renifler gentiment. Cette tendresse inattendue bouleverse Marco dont la poitrine est soulevée par un sanglot.

Il laisse aller ses larmes une bonne fois, puis il respire profondément.

— C'est sûr ! c'est sûr ! dit-il. Le père Grégoire est LÀ !

Il se tâte le visage et retire sa main tachée de sang. *Il faut que je me lave !*

Une pensée soudaine le traverse et le tord d'angoisse ! *Mon vélo !*

Pas question de retourner bd Marengo.

Il se rappelle son rendez-vous avec Pedro. *Lui seul peut m'aider. J'aurais peut-être dû l'attendre. Voilà ce que c'est de jouer les Bogart !* Maintenant qu'il a donné l'éveil, ces gangsters vont être encore plus méfiants !

Il s'apprête à repartir quand un bruit mat le fait se retourner. Il voit un objet rouler dans le caniveau. Le petit chien se précipite en remuant la queue. Il flaire l'objet puis s'en détourne. Visiblement, ce n'est pas un os !

Marco le ramasse. C'est une boule de papier journal entourant une pierre. Marco lève la tête vers une petite fenêtre grillagée où il lui semble apercevoir une ombre. Il fourre précipitamment l'objet dans sa poche et prend ses jambes à son cou.

« Ça se confirme ! pense-t-il, pendant que ses tempes battent bruyamment. Le père Grégoire est bien là ! D'ailleurs, il y a l'odeur ! UNE ODEUR MENTHOLÉE ! »

5

La police s'en mêle

L'APRÈS-MIDI du mercredi tire à sa fin quand Marco atteint le square Louis Blanc. Son œil est brûlant et son arcade sourcilière le fait cruellement souffrir. Il se plonge la tête sous une fontaine, reprend son souffle et va s'affaler sur un banc.

Une petite vieille le regarde d'un air pincé.

— Tu t'es bagarré, petit voyou ! Si c'est pas malheureux !

Marco se retient pour ne pas répliquer. La petite vieille ramasse précipitamment ses affaires car elle a dû sentir l'hostilité du garçon. Elle fait claquer d'un coup sec un parapluie défraîchi et se hâte de quitter l'allée avec des regards furtifs derrière elle.

Ce manège ridicule fait enfin sourire Marco. Il connaît bien ce genre de personnes. Elles passent leur temps à clabauder sur le dos d'autrui et à répandre leur fiel. Est-ce la vieillesse qui les rend aussi sèches qu'un morceau de bois mort ? « Sûrement pas ! se dit Marco. Le vieux Grégoire, c'est tout le contraire de ces fourmis malfaisantes. Il est généreux, cultivé, compréhensif. Il ne se permettrait pas de porter un jugement sur les autres. Même quand on lui fait du mal, il trouve toujours des raisons pour excuser. C'est vrai qu'il a un sale caractère mais c'est pour se défendre. Quand on le connaît vraiment, il est si bon ! Il ressemble à ces pains dont la croûte est si dure qu'on aurait peur de s'y casser les dents. Mais sous elle, se cache une mie onctueuse et légère ! Oui, il est bon, ce Grégoire, bon comme du bon pain », songe Marco, et il se rappelle ce que lui a raconté le vieux sur sa dernière entrevue avec les promoteurs immobiliers. « Ces messieurs avaient l'air si gêné. Ils m'ont offert des cigarettes. M'ont demandé des nouvelles de mon jardin. Puis je leur ai montré le dernier hectare de plantation, celui où sont conservées les espèces rares. Sais-tu qu'ils ont été soufflés de voir un ginkgo biloba ?...

Parfaitement ! Ils s'imaginaient que c'était un arbre préhistorique. Le « mille-écus » comme on l'appelle, à cause de la forme de ses feuilles... et de leur couleur à l'automne... Je te montrerai... Alors, ils m'ont dit qu'il n'était pas question de toucher à des arbres si rares... Le passé de la nature est un bienfait pour l'humanité, qu'ils disaient... Ils avaient l'air tellement sincère... J'allais signer leur papier quand l'Espagnol est arrivé. Il a demandé à voir le plan du terrain. Les autres sont devenus méchants. C'est là que j'ai compris qu'ils voulaient me tromper. Sur le plan, c'est l'Espagnol qui me l'a dit après, ils avaient remplacé mon bout de forêt par une pelouse et des parkings...

Dire que j'avais failli me faire avoir... à cause de leur sourire. Depuis ils ne sont plus rentrés chez moi... Remarque, ils défendent leur casse-croûte... ils ne font peut-être pas vraiment ça par méchanceté. Moi, avec mes trucs poussiéreux de l'ancien temps, je ne suis pas très compréhensif non plus envers le progrès... Toujours est-il que maintenant, ils me font la gueule... »

Marco sourit en revoyant le vieux lisser sa belle moustache gauloise pendant que son œil gauche se ferme à moitié en signe d'émotion.

« N'empêche ! se dit le garçon, il a quand même son fusil accroché au-dessus de son lit. » Mais Marco se demande si cette pétoire n'est pas un piège à mouches... Pauvre vieux

Grégoire, il n'a même pas eu le temps de s'en servir !

A cette pensée Marco sent une vague d'émotion le saisir à la gorge. Il ne voit pas venir Pedro. Le jeune Espagnol le fait sursauter en lui tapant sur l'épaule. Du coup, il s'écrie :

— Pedro ! Pedro ! Ils l'ont enlevé ! J'en ai la preuve !

Il éclate en sanglots et se jette dans les bras du jeune ouvrier.

— Doucement, petit ! Qu'est-ce qui t'arrive ? Pourquoi ces marques sur ton visage ? On t'a battu ?

Alors, Marco, d'une voix hachée et entrecoupée de sanglots, raconte son aventure.

Pedro l'écoute attentivement, ses mâchoires se serrent. Il se gratte frénétiquement le nez.

Un long silence suit le récit de Marco. Le jeune ouvrier espagnol regarde ses chaussures. Il ne sait trop quoi dire. Puis il se racle la gorge pour lancer :

— J'ai l'impression que ça se gâte... Je me demande quel moyen ils ont utilisé pour faire sortir Grégoire de chez lui... Mais d'après ce que tu me racontes, ce ne serait pas étonnant qu'ils l'aient fait de force... Dans ce cas, c'est un kidnapping et ça, ça regarde la police... Pourtant !...

— Pourtant quoi ?...

— Pourtant... le vieux Grégoire a pu les suivre de son plein gré... Rien ne nous prouve le contraire... Il est tellement naïf !...

— Mais Pedro, pourquoi Grégoire les aurait-il suivis ? Il a d'ailleurs laissé un message dans ses mots croisés. C'est donc bien qu'il se sentait menacé...

— Tu as raison, mais peut-être voulait-il simplement te prévenir pour ne pas t'inquiéter ?

— Drôle de façon de faire une lettre ! Mais bon sang, j'oubliais : le morceau de journal !

— Quel morceau de journal ?

— Celui que Grégoire m'a lancé avec la pierre... J'avais complètement oublié de t'en parler !

Marco, en disant ces mots, fouille ses poches nerveusement. Il pâlit. Sa poche est percée.

— Quel idiot je suis ! Je l'ai perdu ! J'ai perdu la preuve du kidnapping !

Marco s'en veut tellement qu'il se met à trépigner sur place. Pedro est obligé de le calmer une nouvelle fois.

— Comment peux-tu être sûr que le vieux

Quel idiot je suis !!... Je l'ai perdu !

Grégoire t'a lancé cette pierre ? Où l'a-t-il trouvée d'ailleurs ? Les pierres, ça ne pousse pas dans les bureaux !

— Grégoire collectionnait les beaux cailloux. Ceux qu'il enlevait en faisant son jardin. Il en avait toujours trois ou quatre dans ses poches... pas percées, les siennes ! conclut le garçon, mortifié.

— Bon ! je vais au siège social... Il est plus de six heures. La fermeture des bureaux ne va pas tarder. Je vais m'y rendre sous prétexte d'un renseignement pour ma fiche de paie. Je connais une secrétaire ; elle est très gentille et trouvera normal de me voir...

Marco est saisi d'une nouvelle inquiétude.

— Six heures cinq ! Mes parents vont se demander où je suis passé ! Et mon vélo ? J'ai laissé mon vélo dans la cour de l'immeuble !

— Rassure-toi ! Je te le rapporterai. En attendant, monte sur ma bécane. Je te raccompagne chez tes parents et on leur dira que tu as été renversé par une voiture qui a pris la fuite.

Marco frémit en pensant que c'est la seconde fois qu'il ment aujourd'hui. Mais comment leur raconter l'histoire du vieux jardinier ? Ils ne le croiraient pas et risqueraient même de compromettre son aide !

— Bon ! soupire-t-il, la fin justifie les moyens !

Le retour à la maison ne s'est pas trop mal passé. Certes, à la vue de Marco, sa mère a failli s'évanouir. Heureusement, Pedro a tout de suite trouvé les mots qui convenaient. D'ailleurs, dès qu'il a dit qu'il travaillait au chantier, le père s'est rasséréné. Entre gars du bâtiment, on se comprend mieux.

Malgré l'heure peu avancée, la mère a fourré Marco au lit après l'avoir bordé, bichonné, chouchouté. Elle lui a pris sa température. A peine 37°. Trois compresses plus tard, la brave femme a enfin consenti à quitter son fils, complètement rassurée. Mais elle a quand même ajouté avant de se retirer :

— Tu m'appelles si tu as mal à la tête... Avec les chocs sur le crâne, on ne sait jamais...

— Oui, maman, je t'appelle..., dit Marco dans un demi-brouillard.

Il entend encore son père pester contre l'inconscience criminelle et la lâcheté de certains automobilistes. Puis il s'enfonce, ivre d'émotion et de fatigue, comme une pierre dans un trou noir.

Un peu plus tard, il est réveillé brusquement par des coups sourds frappés à la porte d'entrée. La nuit vient à peine de tomber. A demi inconscient, il sort de son lit, tâtonne pour trouver l'interrupteur. En bas, des pas, des éclats de voix. Il distingue quelques mots comme : police-vélo volé-vérifications et il apparaît dans la salle de séjour pour voir Pedro encadré de deux gendarmes ; il est tout pâle et on sent qu'il a dû être bousculé.

Sa mère se précipite :

— Marco ! va te recoucher ! Il s'agit d'un malentendu !

— Un malentendu ! Comme vous y allez, madame ! dit un gendarme à moustaches. Cet individu est surpris en possession d'un vélo qui ne lui appartient pas, je n'appelle pas ça un malentendu ! Mais un délit !

Marco ne peut s'empêcher de crier :

— Mais puisqu'on vous dit que c'est mon vélo et que Pedro me le rapporte parce que j'ai eu un accident cet après-midi.

Marco se rend compte, trop tard, qu'il en a trop dit.

Le moustachu a un coup de sourcil subit qui semble dire : « Quel accident ? »

— Ah, jeune homme, voilà du nouveau ! Tu ne nous as pas parlé d'accident ! Qu'est-ce que ça signifie ?

— Vous ne me l'avez pas demandé ! essaie de répliquer Pedro sans conviction.

— Mais oui, appuie encore la mère. Marco a été renversé par une voiture qui a pris la fuite et ce monsieur l'a secouru.

C'est alors que l'autre gendarme, un peu pète-sec, rétorque :

— Pour un vélo qui a été accidenté, il se porte drôlement bien !

Marco se sent coincé. Il a surtout peur pour Pedro dont il comprend soudain que s'il a fait l'impasse de l'accident, c'était justement pour éviter les complications qui surviennent.

Les deux gendarmes s'assoient, de plus en plus nerveux. Le père, qui n'a rien dit jusque-là, prend la parole :

— Je me porte garant de l'honnêteté de ce monsieur !

Son ton est solennel et sa situation d'invalide impose le respect.

Les deux gendarmes se regardent, un peu gênés, puis le pète-sec reprend un ton en dessous :

— Monsieur, nous ne mettons pas votre bonne foi en doute. Mais il y a des détails qui demandent quelques éclaircissements.

— Effectivement, enchaîne le moustachu, un peu vexé que son adjoint reprenne la direction des opérations. Par exemple, savez-vous où nous avons retrouvé le dénommé Pedro Gomez ici présent, à... neuf heures du soir ? Dans les locaux de l'entreprise Bouchard. C'est le gardien de nuit qui nous a alertés !

Marco fait un rapide calcul. Pedro est parti de chez lui vers six heures trente. Il faut à peine un quart d'heure pour se rendre bd Marengo. Pourquoi y était-il encore à neuf heures du soir ? Aurait-il découvert Grégoire et tentait-il de le faire évader ?

Le père de Marco est resté silencieux. Pedro rompt enfin le lourd silence :

— Il me semblait avoir reconnu l'automobile qui a renversé Marco. Je l'ai suivie dans la ville pendant plus d'une heure et je l'ai perdue de vue. Ensuite, seulement, je suis allé rechercher le vélo.

— Et que faisait ce vélo d'enfant dans une entreprise de bâtiment ? assène froidement le moustachu.

Les regards interrogateurs des parents se posent sur Marco.

— J'aime bien aller regarder les grues !

La voix est mal assurée. « Ils ne vont pas avaler ça ! » pense le jeune garçon.

— Tu as donc eu ton accident et tu as

trouvé le temps de poser ton vélo dans la cour de l'immeuble !

— Non, c'est moi qui l'ai fait. Ce jeune garçon avait calé son vélo au bord du trottoir, juste devant le siège de l'entreprise. Il était à pied quand il a été accroché par la voiture.

Pedro semble reprendre de l'assurance. Marco respire un peu mieux.

— Alors je l'ai garé dans la cour pour éviter qu'il ne soit volé et j'ai ramené l'enfant chez ses parents.

Les deux gendarmes se regardent. Fatigués sans doute, ils se lèvent dans un ensemble presque parfait :

— On ne va pas s'attarder. Messieurs-dame, excusez-nous du dérangement. Toi, tu n'oublieras pas de passer à la gendarmerie faire contrôler ta carte de séjour. Puis le moustachu se tourne vers son collègue : Bon, la journée n'est pas finie. Il faut encore qu'on s'occupe de l'incendie de cette vieille baraque... Ça, c'est une autre paire de manches !

Pedro regarde intensément Marco qui a vacillé, comme frappé en plein cœur.

La mère raccompagne les gendarmes qui lui reprochent gentiment de ne pas avoir porté plainte contre l'automobiliste. Pedro s'approche pour serrer la main de Marco. Il n'ouvre pas la bouche mais ses yeux sont brillants et humides. Marco n'a que le temps de murmurer :

— C'est SA maison ?

Pedro incline la tête, accablé. Le père salue l'ouvrier espagnol et lui glisse quelques mots sur la difficulté du métier.

Le garçon retrouve son lit. Une formidable houle s'abat sur lui. Il doit se fermer la bouche pour ne pas crier.

Brutalement son cœur s'arrête. Il renifle sa main. Une fois, deux fois ! Elle sent une odeur d'essence et de brûlé ! Son sang ne fait qu'un tour.

Non ! ce n'est pas possible !

6

Au feu !

C'EST donc ÇA que Pedro a fait entre six heures trente et neuf heures ! Car c'est bien lui qui lui a transmis cette odeur de brûlé et d'essence en lui serrant la main, tout à l'heure ! Alors, un sentiment d'horreur lui broie la poitrine : ET SI PEDRO ÉTAIT PAYÉ PAR LES ENNEMIS DU VIEUX GRÉGOIRE ? Les trahisons, il en a vu des quantités dans les films. La vie serait-elle aussi dure que le cinéma ?

Non, ce n'est pas possible ! Marco se tourne et se retourne dans son lit. Pourquoi cette odeur de brûlé sur ses mains ? Et cette longue absence, justement pendant qu'éclatait l'incendie ?

Le ronflement du père monte jusqu'à lui. Par la fenêtre mal fermée, l'enfant aperçoit un bout de nuit.

Qu'a-t-on fait à son vieil ami ?

Pour s'attaquer à sa maison, il faut croire que les costumes-cravates lui en veulent à mort. Mort ! Ce mot fait se redresser Marco sur son lit. Une sueur froide envahit sa nuque. *Comment ! Le pauvre vieux est peut-être en danger de mort et moi, Marco, sain de corps et d'esprit, le seul sur qui il puisse compter vraiment, je vais tranquillement m'endormir !*

En deux temps trois mouvements, il est debout, habillé, prêt à descendre. Le risque immédiat, c'est sa mère qui ne dort toujours que d'un œil à cause du père dont le sommeil est parfois entrecoupé de crises douloureuses. Tant pis ! Ce soir, Marco a des précautions de chat et des audaces de tigre. En quelques minutes, il est dehors, il file sur son vélo, le nez au vent, un vent humide qui lui fouette les yeux.

Au détour de la colline, il aperçoit la bicoque d'où sortent encore des traînées de fumée noirâtre. Une voiture de pompiers est garée le long de la barrière. A première vue, la maison n'a pas entièrement brûlé. Les murs extérieurs et le toit semblent même intacts.

Quelques curieux, malgré l'heure tardive, commentent l'événement :

— Fallait que ça arrive, avec ce qu'il entasse là-dedans !

Au détour de la colline...
Des traînées de fumée noirâtre

— C'est vrai ! Il paraît qu'il ne sortait même plus ses poubelles !

— Faut dire qu'à c't'âge-là, on devrait les mettre d'office en maison de retraite... Ils ont plus leur tête à eux, vous comprenez !...

Marco serre les dents de rage et se retient pour ne pas insulter les médisants. Il préfère s'approcher de deux pompiers qui cassent la croûte en jetant de temps à autre un coup d'œil sur les derniers filets de fumée.

— Est-ce qu'elle a complètement brûlé, s'il vous plaît, messieurs ?

Marco s'est fait le plus mielleux possible pour ne pas incommoder les hommes du feu par sa curiosité.

— Non ! dit un rouquin en mordant de bon cœur dans son jambon-beurre. Ç'aurait pu être pire !

— C'est vrai que l'incendiaire a été sacrément maladroit ! ajoute l'autre, comme pour lui-même, parce que balancer un baril d'essence dans le jardin pour faire brûler une baraque, faut pas vraiment savoir viser !

— Et l'eau ? T'as vu l'eau ?... Toute la façade arrière était recouverte d'eau !

Marco n'en tirera pas plus. D'ailleurs, les hommes se rendent compte qu'ils ont parlé un peu vite car ils se mettent soudain à apostropher le gamin en lui conseillant de rentrer chez lui, qu'à cette heure-là les enfants de son âge devraient être couchés et gnagnagna et gnagnagna...

Marco ne s'attarde pas davantage. Il reprend son vélo, finalement à demi rassuré sur l'état de la maison mais pas plus avancé, surtout après les paroles un peu embrouillées des pompiers. Incendiaire maladroit ? Eau sur la façade arrière ? Qu'est-ce que ça peut bien vouloir dire, tout ça ?

Il est en train d'y réfléchir quand il a juste le temps de se jeter dans un fossé, en contrebas, pour éviter la voiture de la gendarmerie qui roule à grande vitesse dans sa direction.

Il reconnaît au passage le moustachu de ce soir et son acolyte qui ont cuisiné Pedro. Apparemment, ils semblent avoir autre chose à faire que de s'occuper d'un gamin à vélo. Ils se dirigent tout droit vers la maison de Grégoire.

Marco refait surface. La nuit est de plus en plus sombre. Il faut qu'il en sache davantage. Le mieux serait de surprendre la conversation des gendarmes : peut-être ont-ils déjà une idée sur les circonstances exactes du « sinistre », comme on dit dans les journaux.

Le garçon opère un demi-tour par le sentier

qui longe le chantier, et, dissimulé derrière les bulldozers endormis comme de gros crabes, il se rapproche du jardin de Grégoire.

Il se glisse sous la clôture et, rampant tel un Sioux sur le sentier de la guerre, il parvient jusqu'aux serres derrière lesquelles il attend, retenant son souffle. Il entend des voix qui se rapprochent.

Soudain, il remarque un éclat métallique au bord de l'allée. Il tend la main pour se saisir de l'objet qui brille, quand les pas s'arrêtent à un mètre à peine de l'endroit où il se trouve.

— Ce n'est pas possible !

Marco a reconnu la voix du moustachu. Le silence de la nuit est propice aux sons qui, grâce au vent favorable, lui parviennent presque sans déformation.

— Ce n'est pas possible ! On a l'impression qu'il y a eu ici deux actions contradictoires !

« Zut ! pense Marco. Qu'est-ce que ça veut dire “ contradictoires ” ? Me voilà bien si les gendarmes se mettent à parler comme un dictionnaire ! »

— D'une part, et c'est indubitable, il y a eu un acte criminel notoire ! Le baril d'essence à moitié vide en témoigne. Mais, d'autre part, la maison a été aspergée d'eau et ceci, peu de temps après qu'a éclaté l'incendie. Vous êtes bien d'accord, mon capitaine ?

— Absolument ! fait une voix rauque, probablement un pompier. Cette eau a été déversée au tout début du sinistre... et sûrement pas par l'homme au baril d'essence...

— Baril qui a été retiré de la maison, à en juger par les traces relevées jusqu'au jardin ! Il y a donc eu deux actions successives et contradictoires, c'est bien ce que je disais !

Les deux hommes reprennent leur marche. Marco voit les chaussures de l'un d'eux écraser l'objet brillant puis s'éloigner.

Le garçon fouille rapidement l'endroit piétiné. Il dégage une bague qu'il serre dans sa main, violemment. Une émotion brutale l'assaille.

Non seulement il vient de comprendre ce que signifie « contradictoire » mais, surtout, il sait maintenant pourquoi les mains de Pedro sentaient l'essence et le brûlé. Et ça, c'est comme un immense soulagement, encore mieux que l'impression qu'il a éprouvée après la guérison de son abcès dentaire.

Plus de douleur tout à coup quand on a souffert toute une nuit, c'est le paradis retrouvé ! Mais savoir que son ami n'a pas trahi comme on l'a craint, bien au contraire, comprendre qu'il a risqué peut-être sa vie, c'est encore plus beau. Un vrai soleil de minuit. Et justement, minuit sonne quand Marco reprend le chemin du retour.

« Raisonnons ! se dit-il en pédalant à vive allure. Les costumes-cravates ont tenté un ultime chantage à l'incendie qui a échoué grâce à l'intervention de Pedro. Car il n'y a plus de doute maintenant : c'est lui qui a freiné la progression du feu. Peut-être a-t-il surpris, bd Marengo, une conversation qui l'a mis sur la voie ? Or, si les malfrats s'attaquent à la maison de Grégoire, c'est qu'ils veulent le garder encore vivant. Pourquoi ? Ça, je n'en sais rien ! En tout cas, c'est un sursis et, probablement qu'après leur coup raté, ils vont réfléchir à la situation. Réfléchissez, les gars ! Pendant ce temps, Grégoire a encore toutes ses chances ! »

Marco est si euphorique qu'il n'a pas remarqué une grande voiture noire qui roule tous feux éteints non loin derrière lui. Il pense d'abord à une seule chose : retrouver Pedro pour établir un nouveau plan de bataille. Mais pour cela, il faudra attendre demain. Le garçon se demande s'il arrivera à dormir.

Au passage d'un lampadaire, un éclat de lumière s'accroche aux montures des lunettes dorées du conducteur de la voiture noire.

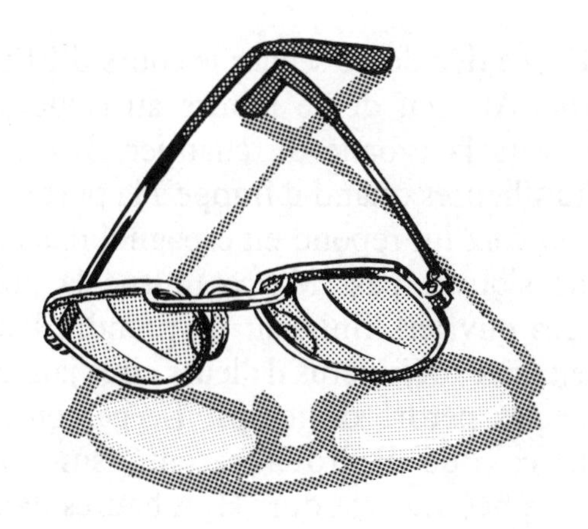

7

Hôpital, silence !

MARCO a décidé de sécher le cours d'EPS, ce matin. Au lieu de se rendre au stade, il oblique vers la cabane du chantier. Il est à peine huit heures quand il frappe à la porte en tôle. Une voix lui répond en espagnol mais la porte ne s'ouvre pas. Marco tourne la poignée. Les ouvriers finissent de prendre leur petit déjeuner, déjà vêtus de leurs cirés jaunes pour ne pas perdre de temps. Le garçon se rappelle ce que Pedro a raconté sur son travail. Le béton, c'est dur. Huit heures dans la boue, le vacarme, les vibrations. Quel que soit le temps, il faut sortir. La tôle brûlante ou les pluies glacées, le corps doit s'y plier. Les parpaings rugueux arrachent la peau, la poussière de ciment irrite la gorge, les secousses des machines donnent des vertiges. Et puis, on n'a pas le réconfort d'une famille où se réfugier, en fin de journée. La plupart de leurs familles sont restées au « pays ». C'est pour elles qu'ils travaillent avec tant d'acharnement ! Les chantiers changent d'endroit, il faut les suivre. En plus, quand on vient d'ailleurs, on est coupé de ses origines, de son berceau, de sa langue. Non, pas facile ce travail ! C'est ce que semblent lui dire ces hommes silencieux assemblés autour de leur table à tréteaux. Comme ils paraissent fatigués, si tôt le matin !

Le grand gaillard qui l'avait déjà reçu la première fois semble le reconnaître.

— Tiens ! El muchacho ! Jé parie qué tou cherche Pedro !

Les autres hommes ont détourné la tête d'un air gêné.

Le grand gaillard s'approche de Marco pour lui dire presque solennellement :

— Il faut laisser tomber tout ça, mon petit !... Ça n'est pas bon dé fourrer son nez dans les affaires des autres !...

— Mais où est Pedro ? interrompt Marco qui sent l'inquiétude l'envahir.

— Pedro !... Madre de dios !... Est-ce qué tou veux finir commé loui !

— Quoi ! Vous n'allez pas me dire que...

— Non, non... Il a bésoin d'un bon répos, c'est tout...

— Mais enfin, dites-moi où il est !

La sirène retentit, coupant court à la conversation.

Marco reste planté là, bousculé par les hommes qui sortent sans même le regarder. L'un d'eux, pourtant, attendri par son désarroi, lui glisse avant de mettre son casque :

— *Hospital Saint-Martin... Pedro Gomez, camera veinte y uno... (1)*

Le sang du garçon ne fait qu'un tour : Pedro à l'hôpital ! Après le kidnapping, après l'incendie, l'agression ! Car il ne fait aucun doute dans l'esprit de l'enfant que son ami a été attaqué...

L'hôpital St-Martin, Marco le connaît bien. Il y a été opéré de l'appendicite l'année passée. Sans attendre davantage, l'enfant enfourche sa bicyclette et fonce vers la ville. Au passage, il remarque que la maison du vieux Grégoire est encore surveillée par une estafette de la gendarmerie.

Arrivé à l'hôpital, il s'engage dans les couloirs dallés de blanc. Devant la grande grille contre laquelle il a appuyé son vélo, une voiture noire s'est garée. Deux hommes

(1) Hôpital Saint-Martin... Pedro Gomez, chambre vingt et un...

fument leur cigarette sans quitter l'engin du regard. L'un d'eux défait ses lunettes à monture dorée pour les essuyer nonchalamment.

— Dix-neuf, vingt, vingt et un...

Marco s'arrête, essoufflé, devant la porte peinte en beige ; il frappe. Pas de réponse. Il entre. Une silhouette dans un lit de fer. Sous les bandages il a du mal à reconnaître la tête pâle de Pedro. Celui-ci se redresse péniblement à l'entrée de l'enfant. Il esquisse un sourire crispé, essaie de lui adresser la parole mais les mots ne passent pas. Soudain, la voix d'une infirmière retentit derrière le jeune visiteur.

— Qu'est-ce que tu fais ici ?

Elle est énorme dans sa blouse blanche et c'est tout juste si une ombre de moustache ne recouvre pas sa lèvre supérieure.

— Je viens voir mon frère... Madame... Je m'appelle... Marco Gomez !

Il bénit le ciel et ses parents de lui avoir donné ce prénom à consonance hispanique... et ce demi-mensonge ne le trouble même pas.

— Ah !... Il ne m'avait pas dit qu'il avait un frère..., dit l'infirmière embarrassée. C'est vrai qu'avec le choc qu'il a reçu... Quelle idée aussi de ne pas mettre son casque !... Bon, je te laisse cinq minutes, pas plus. Il est très fatigué, tu sais...

La géante tourne les talons ; aussitôt Marco se précipite vers le lit. Pedro est plus blanc que son drap et il fait des efforts inouïs pour sortir de sa léthargie.

— Pedro... Que s'est-il passé ?... Ce n'est pas un accident, n'est-ce pas ?... Ils t'ont frappé ?...

Devant la vanité des efforts de son copain pour ouvrir la bouche, Marco a une idée :

— Bon... Ne parle pas... Réponds à mes questions en me faisant signe de la main. Tu serres la mienne pour dire oui, tu me la tapotes pour dire non. Compris ?

Il se rappelle avoir vu une scène semblable dans un film. C'était des policiers qui voulaient interroger un témoin agonisant dans une clinique...

Il sent les doigts de l'ouvrier se refermer sur les siens. Il a donc compris.

— Est-ce qu'ils t'ont frappé ?

Tapotement de la main.

— Ils t'ont tendu un piège ?

Pression de la main.

— C'est parce que tu as enrayé l'incendie ?

Toujours la même pression.

— Grégoire est-il toujours vivant ?

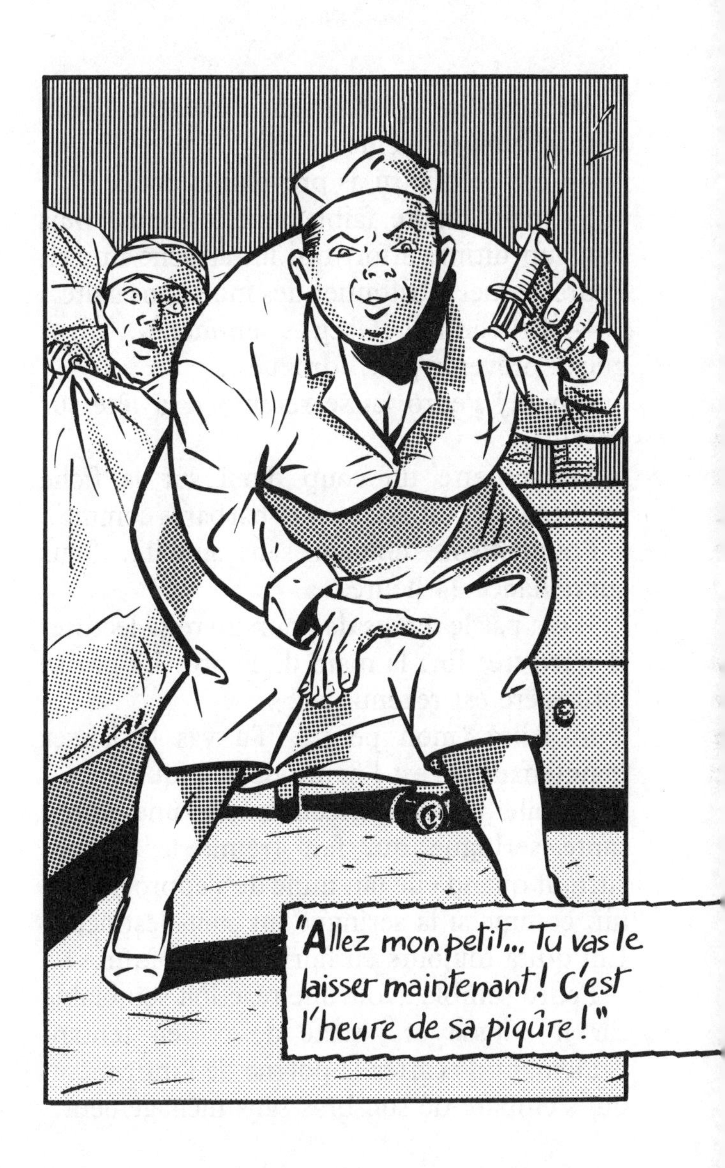
"Allez mon petit... Tu vas le laisser maintenant ! C'est l'heure de sa piqûre !"

Même geste. Marco sent l'oxygène bouillonner dans ses veines.

— Est-ce que tu as prévenu la police ?

Sa main tapote faiblement la sienne puis dans un ultime effort qui lui arrache un cri, Pedro se met à balbutier des mots sans suite :

— Prévenir… Grég… emmené… drogue… prévenir pol… drogue…

Épuisé, Pedro laisse retomber sa tête sur l'oreiller.

Marco jette un coup d'œil sur la fiche médicale. Il y lit des termes barbares comme : « Traumatisme crânien sans gravité. Sous surveillance 24 heures. »

Il n'a pas le temps de poursuivre sa lecture. Il serre très fort la main de Pedro. La grosse infirmière est revenue :

— Allez, mon petit… Tu vas le laisser maintenant ! C'est l'heure de sa piqûre !

Et elle brandit effectivement une imposante seringue qui fait frémir le garçon, surtout quand elle fait mine de s'approcher de lui, comme si la seringue lui était destinée… Lui qui a toujours eu horreur des piqûres !

Pedro semble avoir une réaction semblable car il pousse une sorte de cri en tentant vainement d'écarter la poigne de l'infirmière, qui s'empare de son bras sans ménagement.

Marco s'enfuit, en bredouillant un remerciement hâtif. Il traverse à toute allure le couloir sonore et se retrouve en quelques enjambées au grand portail.

Cette fois, les choses deviennent de plus en plus urgentes. A l'heure qu'il est — « Au fait ! quelle heure est-il ? » se demande le garçon. « 10 heures », lui répond l'horloge de l'hôpital ! — Grégoire est peut-être déjà parti... Mais pourquoi et vers quelle destination ? Il n'a donc pas le temps de prévenir la police comme semblait le souhaiter Pedro. Il ne faut pas qu'il perde la piste du vieux jardinier. Après, oui, seulement après, quand il pourra donner les coordonnées exactes du repaire des truands, il se confiera à la police.

Il n'a pas fait vingt mètres qu'il manque de passer par-dessus son guidon. Il réussit à freiner en catastrophe, les deux talons sur le macadam, et se rend compte qu'il roule sur les jantes. SES DEUX ROUES SONT A PLAT !

Une bordée de gros mots lui montent aux lèvres, provoquant l'indignation d'une brave ménagère promenant son toutou.

Marco n'en a cure ; il récidive en constatant que les deux pneus ont été lardés de coups de couteau. La brave ménagère ne peut s'empêcher d'exprimer tout haut sa désapprobation :

— Si c'est pas malheureux de dire des choses pareilles !

Et le toutou d'en rajouter, en poussant des aboiements stridents.

Marco aperçoit soudain la voiture noire garée non loin, et en l'espace d'un éclair, il comprend tout. Il s'approche donc de la brave dame au toutou furibard, et débitant ses plus plates excuses, il lui demande si elle ne connaîtrait pas, s'il vous plaît, un garagiste. Pour entrer définitivement en bonnes grâces avec la passante, il caresse le chienchien qui, après un dernier aboiement craintif, décide de se laisser chouchouter.

La scène n'a pas duré plus d'une minute.

L'auto n'a pas bougé.

« Il faut absolument que j'opère une diversion ! » pense Marco. Dans les films policiers dont il est friand, ça marche toujours. Mais ici, ce n'est pas du cinéma.

Tout en discutant des mérites du chienchien sur lequel la brave dame semble intarissable, il lui vient une idée. Il a reconnu la rue de son ami Jean-Pierre, le bon élève qui lui a servi si souvent d'alibi dans ses escapades buissonnières. Or, l'immeuble de Jean-Pierre a la particularité d'avoir une seconde sortie sur une rue parallèle. S'il parvient à détourner l'attention des hommes à la voiture, il réussira à les semer en passant par cet immeuble.

— Madame, je voulais vous dire... Les deux hommes qui sont dans la voiture, derrière nous... Oui, ces messieurs en costume-cravate... Ils ont l'air de beaucoup s'intéresser aux chiens... Ils m'ont même demandé l'adresse d'un vétérinaire... Ils ont peut-être un animal malade... Alors, si vous pouviez leur donner un renseignement...

Il n'a pas achevé sa phrase que la mémère et son toutou ont fait volte-face et se dirigent vers la voiture. Marco est trop loin pour voir la tête de ses deux poursuivants mais il n'y a pas de doute, ils n'oseront pas démarrer maintenant que la dame au chien se dirige droit sur eux.

En quelques enjambées, Marco se retrouve dans l'entrée de l'immeuble. Un coup d'œil en arrière. La brave dame est carrément accoudée à la portière et elle brandit son toutou à bout de bras...

Marco passe devant la loge de la concierge, tête baissée pour ne pas se faire remarquer. Du coup, il bute contre une femme au balai-serpillière qui est en train d'essorer le carrelage.

— Eh ben!... Tu peux pas faire attention !... Eh tiens ! mais c'est Marco ! Qu'est-ce que tu fais là ?... Y'a pas classe aujourd'hui ?

« Il ne manquait plus que ça, se dit Marco... Plutôt que d'affronter l'obstacle, contournons-le. »

Il se dirige donc, tout en marmonnant une vague histoire de grève, vers la sortie annexe.

— Où tu vas ? l'arrête la concierge encore à quatre pattes, les mains dans son seau d'eau mousseuse... On sort plus par là... Y'a les travaux !

Au même instant, des hurlements s'élèvent, provenant de la rue qu'il vient de quitter ; des crissements de pneus, un moteur de voiture qui démarre en trombe.

Marco, un instant décontenancé par cette nouvelle tuile, sent la chance lui sourire de nouveau. Il enjambe seau, serpillière et concierge et se retrouve à l'endroit d'où il venait pour apercevoir la voiture noire tourner en catastrophe au carrefour, pendant que la dame au chien, les bras en l'air, continue à hurler.

— Bon ! cette fois, s'agit plus de mollir !

Et Marco, bien qu'ayant séché son cours de gym, pique le plus beau cent mètres de toute sa carrière d'écolier.

En le voyant surgir comme un diable de sa boîte, la pauvre dame au chien en perd l'usage de la parole et elle reste à s'agiter sur le trottoir, moulinant l'air de ses bras, comme un pantin désarticulé.

Mais le chien, lui, étendu sur le bas-côté de la rue, ne bouge plus.

Marco, les dents serrées, les coudes au corps, repense aux mots prononcés par Pedro et surtout au mot « drogue » qu'il a répété plusieurs fois. Et l'image de la seringue vient se superposer à ce mot.

8

Le camion fou

IL est 10 h 30 quand Marco se retrouve dans la cour du bd Marengo. Les grues et les camions assemblés en cet endroit lui donnent un air de champ de bataille pour géants.

Il se dissimule derrière les engins, avant de pénétrer dans l'immeuble. Il a un petit frisson en se rappelant sa visite malheureuse d'hier. Un camion vibre, moteur en marche, à l'entrée de la cour. Apparemment, pas de chauffeur. Une bâche recouvre l'arrière du camion, encombré par des sacs de ciment et des parpaings. Marco a l'intuition que c'est le véhicule qui va servir de « taxi » au père Grégoire. Il y a donc encore un espoir de le revoir vivant… A moins que ces parpaings et ce ciment… mais l'enfant préfère écarter de sa pensée cette séquence de film où les malfaiteurs ensevelissaient un cadavre dans les fondations… d'un immeuble en construction !... « Décidément, se dit-il, je vais trop au cinéma ! »

Il a réussi à se glisser dans l'escalier sans se faire repérer de deux ouvriers à casque jaune qui devisent près d'une grue, en se roulant une cigarette. Tiens ! c'est aussi une manie de son père ! Il faudra qu'il pense à lui demander si c'est par économie ou par plaisir qu'il perd son temps à se « fabriquer » ses cibiches.

Le couloir est relativement calme. Cliquetis des machines à écrire, bruits de pas, voix étouffées.

C'est à l'autre palier que ça doit se passer. Pourquoi en effet auraient-ils changé leur otage de place depuis hier ?

Il s'apprête à grimper le second escalier plus étroit qui mène aux combles quand des éclats de voix l'arrêtent net. Une porte claque. Il a juste le temps de se jeter dans une sorte de réduit obscur encombré de balais et de produits ménagers. La porte se referme. Les voix sont plus nettes. Ce qu'il entend alors le fait frémir.

— Cette histoire n'a que trop duré. Si le vieux ne veut rien savoir malgré l'avertissement de cette nuit, il n'y a plus qu'une solution !...

— C'est qu'il est têtu... ! Et demain, il faut

absolument signer pour le terrain ! Il n'est pas question de vendre sans l'accord du vieux. Le client veut du « légal » !

— Où sont Gé et Xav ?

— Ils suivent le gamin, je crois…

— Je crois… je crois… Et vous n'en êtes même pas sûrs ! Bande d'incapables ! Est-ce qu'ils avaient besoin de s'attaquer à cet Espagnol ?

— Mais, patron… Il avait tout entendu… En plus, sans lui, la maison ne serait plus qu'un tas de cendres !…

— N'empêche qu'ils ont encore fait les choses à moitié… Est-ce que la police a interrogé l'Espagnol ?

— Non… Enfin, je ne crois pas qu'il était en état de répondre. Et puis on a fait peur aux autres !… De toute façon, on a quelqu'un à l'hôpital qui s'occupe de ce métèque. Il n'est pas prêt de retrouver ses forces avant quelques jours, avec le traitement qu'on lui donne !…

— Bien !… Ça nous laisse du temps !…

Un ricanement ponctue cette remarque. Marco fait un rapide retour en arrière. Dans sa tête se superposent les traits de l'infirmière moustachue et la seringue… C'était donc ça que voulait dire Pedro !… La drogue ! Ils sont en train de le droguer pour l'empêcher de témoigner !

Bon sang ! Me voilà de nouveau tout seul ! Pedro dans les vapes ! Grégoire dans la nature ! Il faut absolument que je prévienne la police. Maintenant les événements deviennent trop graves pour que je puisse les contrôler encore longtemps !

— Bon ! Est-ce que le camion est prêt ?

— Oui, patron, on fait tourner le moteur.

— Prépare le sac !

Le sac ! Cette fois, Marco a une sorte d'étourdissement. Tout son sang reflue vers sa tête. Il voit le corps de son vieil ami, cassé en deux, tassé dans un sac comme dans un linceul.

Des pas rapides dans le couloir. La porte s'ouvre en coup de vent.

— Patron !...

Il reconnaît la voix des lunettes dorées. Celui-là, il n'est pas prêt de l'oublier.

— Le gamin... on l'a perdu...

— Et voilà... qu'est-ce que je disais ! Bande d'abrutis !... Même pas capables de filer un gamin !

— Mais patron, on connaît sa maison...

— ... on s'est occupés de son vélo, ajoute

une grosse voix un peu pâteuse... Et puis, toute la nuit dehors...

— Suffit, cette mascarade ! On se passera du gamin !

— C'est un témoin gênant... S'il va tout raconter aux flics, on est faits !

— Eh bien ! supposons qu'il ne le fasse pas !... Au travail !

Marco se ronge les ongles jusqu'au sang. Il se rend compte qu'il a trop voulu en faire. Si jamais il est pris maintenant, personne d'autre ne pourra dénoncer les malfaiteurs. Alors que s'il avait alerté les autorités plus tôt, peut-être aurait-il eu une chance de flanquer la trouille à ces truands et de sauver son vieil ami in extremis !

Il est vrai que, comme son père, il a toujours eu une crainte irraisonnée de la force publique.

De toute façon, il n'est plus temps de s'interroger sur ses sympathies ou ses antipathies policières ; la porte s'ouvre ; des pas dans le couloir, tout près. Une voix :

— T'as le chloroforme ?

— On l'endort, pour le compte ?

— T'es dingue ! Il faut qu'il signe avant...

— Ah ! oui, j'oubliais...

— Bon !... le chloro est dans le placard aux

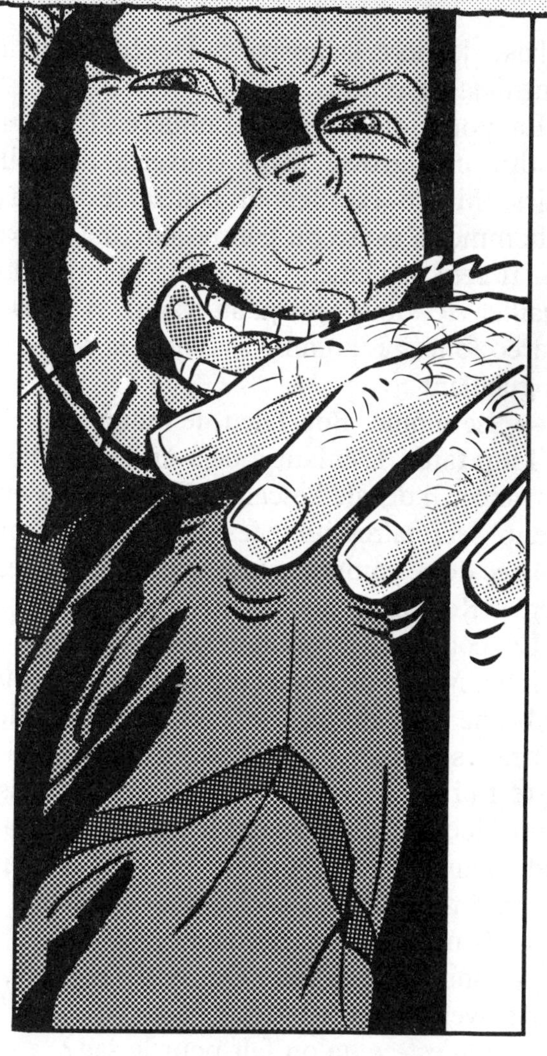
"Le chloro est dans le placard aux balais, derrière la lessive..."

balais, derrière la lessive... Dépêche-toi, ils sont déjà descendus.

La porte du placard. Lumière. Un bras tendu, une grosse main couverte de poils noirs. Marco est debout contre les balais. L'homme, à cause du contre-jour, ne l'a pas vu. Il sent seulement des dents pointues lui cisailler le doigt jusqu'au sang. Il hurle. Marco fonce. L'homme s'affale à la renverse en gueulant :

— Le môme, Bon Dieu, le môme !...

Trop tard ! L'enfant a déjà un bon couloir d'avance. Il dévale l'escalier. Des portes s'ouvrent. Secrétaires étonnées. Les poursuivants obligés de se composer une attitude... « C'est rien... Retournez au travail !... »

La cour et ce camion qui encombre le porche. Marco ne réfléchit pas. Il se jette sous la bâche et s'enfonce le plus loin possible, parmi les parpaings et les sacs de ciment. Il a juste fini de se caler contre l'arête rugueuse d'un bloc de béton quand il entend la cavalcade dans la cour. On passe près du camion. On se dirige vers la rue. Les pas reviennent :

— Il nous a encore échappé.

— Bon ! du calme. On nous regarde... Vous avez vu les fenêtres ?

— Qu'est-ce qu'on fait pour le sac ?

— Plus question de sac ! On prend la BMW et on fait sortir le vieux par la chaufferie. Si vous rencontrez M. André, dites-lui que c'est un copropriétaire venu vérifier une clause de son contrat... Enfin, débrouillez-vous quoi ! Rendez-vous à midi chez La Treille... Il n'y a plus une minute à perdre et il vaut mieux se séparer.

— Oui, patron ! Mais alors qu'est-ce que je fais du chloroforme ?

— Bois-le, imbécile !

Les voix s'éloignent.

Marco se pince le nez pour s'empêcher d'éternuer. La poussière de ciment, c'est pas l'idéal contre le rhume des foins !

Il l'a échappé belle. Mais il a encore perdu la trace du prisonnier. Qu'importe ! Celui-ci est vivant et, pour l'heure, seul cela compte pour Marco. En attendant, il va s'empresser de quitter cette tente inconfortable tout en se répétant les deux nouveaux noms qu'il vient d'entendre : M. André et La Treille ! Qui est ce mystérieux M. André que même le « patron » des truands semblait craindre ? Et La Treille ? Ne serait-ce pas un bar ou un restaurant ? Ce qui est sûr, c'est que ces charmants « messieurs » doivent s'y retrouver à midi. Autant d'informations qui réjouiront sans aucun doute le commissaire Charvin. Marco connaît ce personnage pour l'avoir entrevu quelquefois aux actualités régionales et surtout quand il était venu à son école faire une causerie sur la prévention de la délinquance. Marco se souvient même qu'à cette occasion il avait réalisé un dossier fort bien noté par son professeur d'éducation civique. Comme quoi, on peut avoir peur des flics et savoir en parler !

Le garçon s'apprête à quitter sa cachette, le silence étant revenu, à peine rompu par les vibrations du camion toujours en marche — bonjour les économies d'énergie ! — quand, tout à coup, il a la nette impression que le véhicule avance sous ses pieds. Il se retrouve les quatre fers en l'air, son coude heurtant violemment un bloc de ciment. Pas de doute, le camion s'est mis à rouler ; le régime du moteur et le chahut des tôles le confirment.

Glissant sa tête sous la bâche, il aperçoit en effet le macadam qui défile. Plus question de sauter maintenant ! « Pourvu qu'il y ait un chauffeur, au moins, pense Marco, encore sous le coup de la douleur. Au train où ça va, je suis bon pour un voyage en camion fantôme. » Et il revoit avec effroi un film dans lequel un camion épouvantable poursuit le héros tout au long de l'histoire...

En tout cas, s'il y a un chauffeur, il ne doit pas avoir l'habitude du véhicule car les vitesses grincent drôlement ! Marco, à travers le vacarme de la tôle et du moteur, croit reconnaître des jurons dans une langue peu familière à ses oreilles de Français. Sapristi ! serait-ce possible ?

9

A fond la caisse !

LE camion roule un bon moment, au point que Marco s'aperçoit qu'il a quitté la ville. Les faubourgs s'espacent, on se trouve maintenant sur une petite route secondaire qui devient de plus en plus cahoteuse. Marco, secoué comme un sac de pommes de terre, commence à avoir des haut-le-cœur. Il donnerait cher pour que cet engin de malheur s'arrête enfin. Mais apparemment, ça n'a pas l'air de s'arranger puisque dans un grand vacarme de tôles et de pierrailles, le véhicule quitte la route et s'engage à travers champs. Marco s'accroche tant bien que mal aux ridelles qui lui scient les mains. Il surveille avec appréhension les blocs de béton qui naviguent sur la plate-forme, au risque de lui écraser les jambes. Enfin, dans un grand grincement de freins, une dernière secousse le projette contre un sac de ciment qui crève sous le choc et déverse son contenu sur la tête de l'enfant.

Le camion est immobile.

Marco, se secouant sous l'avalanche, parvient à émerger. Il y a deux hommes qui discutent violemment à l'avant du camion. Derrière ses paupières brûlées par le ciment, Marco reconnaît Pedro soutenu par le grand gaillard brun du chantier. Ils parlent en espagnol et, apparemment, n'ont pas remarqué la présence du garçon.

Dans un nouvel effort pour éclaircir sa vision, malgré les larmes qui lui noient les yeux, Marco découvre que le camion s'est arrêté en surplomb d'une falaise, le nez avancé dans le vide, les roues avant à la limite du précipice.

Cette fois, Pedro a repéré Marco.

Les deux hommes se taisent brusquement, la bouche entrouverte, stupéfaits. Il leur faudra un certain temps pour comprendre la raison de sa présence et Pedro, très affaibli, se fera à son tour l'interprète de son compagnon de route.

— Antonio a décidé de se venger. J'ai réussi à lui faire comprendre que l'infirmière me droguait pour m'empêcher de parler. Il est entré dans une violente colère et m'a carrément enlevé... Après une bonne dizaine de cafés, il m'a à peu près remis sur pied et je lui ai tout raconté. C'est alors que son sang de Méditerranéen n'a fait qu'un tour. Il m'a emmené au siège social avec l'intention de demander des comptes aux « responsables ». Quand nous sommes arrivés, ils partaient juste. Alors, il a voulu se rattraper sur ce malheureux camion et j'ai eu beau essayer de le raisonner, il a volé l'engin et maintenant, il veut le faire passer par-dessus bord.

Antonio, le regard noir, a écouté Pedro avec une nervosité grandissante. Il finit par éclater :

— Oune camione, cé n'est pas cher payer pour ces *puercos* (1) !

— Aide-moi, Marco, il faut l'empêcher de faire des bêtises. Les gendarmes nous ont repérés à cause de l'excès de vitesse. Je suis sûr qu'ils sont sur nos traces.

Antonio a déjà grimpé dans le camion. Il s'apprête à coincer une vitesse et à lâcher le frein à main, ce qui provoquerait l'inévitable bond en avant de l'engin.

— Antonio, arrêtez ! crie Marco. Le vieux Grégoire est en danger de mort. Il faut le

(1) Porcs.

sauver. C'est une question de minutes, maintenant !

Il a mis dans ces mots une conviction à s'en faire claquer les cordes vocales. Antonio a suspendu son geste.

Marco en profite pour dire tout ce qu'il a appris dans l'heure écoulée. Antonio, à contrecœur, est redescendu de la cabine. Il écoute le garçon. Pedro, aux noms cités, s'exclame :

— M. André, c'est le PDG de l'entreprise. Si je comprends bien, il n'est pas au courant de ce que trament ses collaborateurs. Il faudrait le prévenir au plus vite. Quant à La Treille, ce n'est pas un bar, c'est le notaire. S'ils ont rendez-vous là-bas, ce doit être probablement pour faire signer Grégoire.

— Mais pourquoi Grégoire signerait-il devant un notaire, s'il a refusé jusqu'à maintenant ?

— Tu sais, Marco, Grégoire est un vieil homme. Je suis sûr qu'ils comptent sur l'effet psychologique pour lui arracher son consentement. Un notaire, ça risque de l'impressionner, surtout si celui-là emploie un langage un peu compliqué. Et je crois me souvenir que ce Maître La Treille n'a pas bonne réputation.

Marco ne demande pas ce que signifie

« effet psychologique ». De toute façon, il n'en a pas le temps.

La 504 de la gendarmerie, toute sirène hurlante, vient de surgir au bout du champ et se rapproche d'eux à grande vitesse. Des hommes en uniforme jaillissent, revolver au poing, et se précipitent sur le trio.

— On ne bouge pas !

Marco reconnaît le moustachu de la veille. Il est tout suant et ses lèvres tremblent.

— Tiens ! mais voilà deux connaissances ! Qu'est-ce qu'on fait là, garnement ? Tu voulais te déguiser en sac de ciment ? Et toi, après le vélo, tu t'attaques aux camions !... Bravo ! Brigadier, embarquez-moi tout ce beau monde !

— Monsieur ! dit Marco, du ton le plus assuré qu'il peut, vous arrivez bien. Je vais tout vous expliquer.

— Et il se moque de nous, par-dessus le marché ! Toi, tu vas te dépêcher de rentrer chez tes parents et on en reparlera.

Marco, malgré la menace non voilée du lieutenant de gendarmerie, revient à la charge.

— Il faut nous croire, mon commandant. Il se passe des choses graves au chantier, et en ce moment, un homme est en train de risquer

Droit devant Chef!
Freine bon dieu !!
KRiiii!

sa vie. Si vous ne m'écoutez pas, vous le regretterez.

Est-ce la gravité exceptionnelle du visage de Marco ou le titre flatteur que le garçon a accordé au gendarme, celui-ci hésite ; un doute le saisit.

— Bon ! Eh bien fais vite ! Tu as deux minutes pour me convaincre.

Il fait signe dans le même temps à deux de ses hommes de s'occuper du camion, puis, mi-figue, mi-raisin, il se retourne vers Marco.

Le garçon lui débite alors toute l'histoire, confirmée par Pedro, sans omettre un détail. La stupeur se lit sur le visage du lieutenant. Il doit se demander s'il se trouve dans un film ou dans un roman d'aventures, mais il semble que le sérieux de ses deux interlocuteurs finisse par le convaincre. Brusquement, il décroche le radio-téléphone de la 504 et lance un appel à son QG.

— Ici le lieutenant Bernaud ! Ordre à toutes les voitures d'intercepter une BMW gris métallisé circulant en direction de l'avenue des Lilas ou aux alentours de la demeure de Maître La Treille, notaire. D'autre part, prévenir le commissaire Charvin qu'il se rende au siège social des Établissements Bouchard... bd Marengo... Oui, comme le veau...

Qu'il demande immédiatement à voir M. André Bouchard... Je le rejoins dès que possible... Terminé ! Puis il enchaîne : Maintenant, si tout ce que vous avez dit est vrai, il ne faut plus traîner ici ! Le blessé derrière, le gamin avec lui, et toi, tu suis mes hommes pour ramener le camion.

Les portières claquent ; un gendarme saute en marche dans la 504 ; les pneus dérapent sur le sol irrégulier. Marco et Pedro sont projetés l'un contre l'autre. La voiture s'engage à vive allure en direction de la ville.

Le radio-téléphone grésille.

— Ici voiture 14... Ici voiture 14... Appelle lieutenant Bernaud... M'entendez-vous ?

— Ici, lieutenant Bernaud, je vous reçois. Parlez !

— Mon lieutenant, avons repéré la BMW dans la descente de l'avenue des Lilas. Devons-nous procéder à l'interception ?

— Non ! Pour l'instant, suivez-la. Attendez les renforts !

— Bien reçu !

Marco, le visage collé à la vitre, exulte. C'est la première fois qu'il se trouve dans une voiture de police en pleine action et la façon dont les autres véhicules se garent pour les laisser passer lui donne un exaltant sentiment de supériorité. Il a l'impression d'être l'acteur principal d'un film noir à l'américaine et cette situation le remplit à la fois de crainte et d'orgueil.

La 504 roule à tombeau ouvert ; les arbres défilent, les gens se retournent.

De nouveau, le radio-téléphone.

— Ici voiture 9... La BMW est passée au carrefour, près du domicile de La Treille, sans s'arrêter. Je crois qu'elle nous a repérés. Elle se dirige vers les faubourgs. Elle a grillé trois feux rouges et renversé un cycliste.

— Forcez l'allure ! Contactez les motards qui sont en mission dans ce coin. Nous allons les prendre en tenaille.

— Bien reçu !

Les pneus ne cessent de crier dans les virages. 110... 130... 150 !

Soudain le chauffeur hurle :

— Droit devant, chef !

— Freine, Bon Dieu !

Coup de frein brutal, tête-à-queue, dérapage contrôlé, la 504 vacille sur ses bases ; elle se met en travers de la route. Aussitôt le lieutenant et le chauffeur jaillissent, armes au poing. Par une rue latérale, deux motards foncent vers le carrefour. Derrière la BMW qui grossit, une autre voiture, gyrophare en action, se rapproche également.

— S'ils ne freinent pas maintenant, crie le lieutenant, ils vont se prendre un arbre !

— Grégoire, Grégoire ! hurle Marco.

— Couche-toi, petit !

Marco ne veut rien savoir. Pedro essaie de le repousser dans le fond de la voiture. Le garçon a le temps d'embrasser toute la scène du regard.

Soudain, il éclate de rire.

Pedro se demande si l'émotion ne l'a pas subitement rendu fou...

10

Erreur !

LA BMW, après un formidable dérapage, heurte un arbre. Elle est renvoyée sur la chaussée, tournicote, toupie folle, puis, en marche arrière, gomme arrachée qui fait fumer les pneus, elle se bloque à moitié dans le fossé.

Les gendarmes ont abandonné leurs véhicules, toutes portières ouvertes, et foncent vers la voiture immobilisée où s'agitent deux silhouettes. Ils n'entendent pas Marco leur crier qu'ils se sont trompés, que ce n'était pas la bonne BMW, que la sienne est noire et qu'il s'en souvient bien car il l'a vue souvent depuis l'enlèvement du vieux Grégoire. Il lance ces phrases pêle-mêle, mais personne n'y prête attention dans la cohue qui s'est formée autour de la voiture folle.

Après avoir extirpé deux jeunes voyous de la BMW, encore secoués par leur gymkhana, les gendarmes s'emploient à repousser la masse hostile et curieuse des automobilistes arrêtés et des badauds inévitables.

Marco rejoint le lieutenant Bernaud. Il l'attrape par la manche pour attirer son attention.

— Et les vrais coupables ! hurle l'enfant. Xav, le gros plein de poils, l'homme à lunettes, hein ! qu'est-ce que vous en faites ?... Ils vont exécuter un vieil homme dans à peine un quart d'heure. IL EST MIDI MOINS LE QUART !

Marco a des hoquets de colère et de désespoir qui lui tordent l'estomac. Malgré ses efforts, le gendarme ne peut détacher l'obstiné de sa manche sur laquelle s'élargissent des taches de ciment.

— Calme-toi ! réussit enfin à dire le lieutenant. Deux hommes sont déjà partis.

Il montre les deux motards qui disparaissent à l'horizon, en direction de la ville.

Marco respire enfin. Il lâche le bras du gendarme. S'aperçoit qu'il a souillé le beau costume bleu marine. Essaie d'essuyer les taches. En rajoute, car ses mains sont enduites de ciment.

— Mais !... fait le gendarme qui pousse une exclamation de colère en constatant les dégâts... si on ne peut pas prouver l'enlèvement, on ne pourra rien faire !

— Comment ça ! Vous ne croyez pas ce qu'on vous a raconté ? C'est pas du cinéma, je vous jure, monsieur l'agent, c'est la vérité vraie !...

Pedro, qui les a rejoints, intervient d'une voix pâteuse :

— J'ai été drogué. On a failli me tuer. L'accident du chantier n'est pas un accident.

Le jeune Espagnol raconte comment il a échappé de justesse à la mort en mettant en marche son bulldozer pour le faire chauffer. C'était aux environs de 7 heures, ce matin. Un câble retenant une poutrelle d'acier avait été scié. Au moment où il a fait démarrer l'engin, le câble a cédé. Pedro n'a dû son salut qu'à la rapidité de ses réflexes.

— On vérifiera ! dit le gendarme. Mais vos camarades de chantier n'ont rien vu, rien entendu. Quant au câble dont vous parlez, on ne l'a pas retrouvé... De toute façon, ceci ne nous désigne pas les coupables ! N'importe qui, sur le chantier, aurait pu commettre ce... sabotage ! Par ailleurs, j'ai fait mener une enquête à l'hôpital... Votre infirmière drogueuse... N'EXISTE PAS !...

Antonio surgit brusquement et fait reculer le lieutenant de trois bons mètres.

— Comment ! Qu'avez-vous dit ? Il n'y a pas de meurtrier dans notre chantier ! Espagnols, Algériens, Portugais... nous avons l'honneur dou travail et lé respect dou matériel !...

Le lieutenant a envie de lui répliquer que pour ce qui concerne le matériel, il ferait mieux de se taire. Quand on est prêt à balancer un camion dans le ravin !... Mais Antonio s'est lancé dans un récit hallucinant où il évoque la guerre d'Espagne. Le mot GUERNICA revient à plusieurs reprises dans son discours passionné. Les enfants et les vieillards écrasés par les bombes allemandes. Les femmes tentant en vain de protéger leurs bébés. Les maisons s'écroulant sur leurs occupants comme des châteaux de cartes. Les incendies, les explosions, l'enfer...

Et l'Espagnol de conclure, avec un accent déchiré :

— Et si j'ai choisi la France, monsieur, cé n'est pas pour mé faire traiter d'assassin !...

— Calmez-vous, calmez-vous ! fait le lieutenant Bernaud, visiblement impressionné. Je n'ai pas dit que vous aviez... enfin... je pense... il me semble... euh...

C'est Marco qui tire le gendarme de son embarras en tendant la main :

— A votre avis, ceci peut-il être une preuve suffisante ?...

Dans sa paume, une chevalière en or, assez massive, marquée de deux initiales : X. M.

— Qu'est-ce que c'est ? bredouille le lieutenant.

— J'ai trouvé cette bague dans le jardin de M. Grégoire Lambert, le soir de l'incendie de sa maison.

Le gendarme reste un instant interloqué.

— Ça, c'est mieux, en effet... Je vais transmettre l'objet au commissaire Charvin. C'est lui qui doit désormais prendre la suite de l'affaire. En attendant, laissez-moi m'occuper de mes deux gaillards.

— Mais il ne faut pas perdre de temps ! insiste Marco. Je vous répète que le vieux Grégoire est en danger de mort !

— Et moi, je vous dis, jeune homme, que vous regardez trop la télé ! conclut sèchement le gendarme en lui tournant le dos.

A cet instant, le téléphone sonne dans la fourgonnette. Marco se précipite, suivi de

"Mais, mais... C'est pas possible!"

Pedro qui recouvre peu à peu tous ses moyens.

— Oui... oui... oui..., fait le gendarme de faction qui a pris la communication.

— Oui... quoi ? trépigne Marco.

— Mon lieutenant ! crie enfin le gendarme à l'adresse de son chef, le notaire a été interrogé. M. Lambert est sain et sauf. Il a signé les documents de son plein gré et il dit qu'on ne l'a pas enlevé.

— Mais... mais... c'est pas possible ! balbutie Marco. Il est devenu fou !

Et il se rappelle un film où le héros se retrouvait ainsi manipulé par ses ravisseurs au point qu'il agissait exactement comme eux. C'était un film qui racontait comment on pouvait influencer l'être humain grâce à... l'hypnose !

— Si ça se trouve... ils l'ont hypnotisé..., soupire le garçon.

Le lieutenant a pris le téléphone et il finit la conversation.

Marco et Pedro se regardent. Le visage du garçon est devenu tout gris sous la couche de ciment qui le recouvre comme un masque. Antonio serre ses gros poings en un geste d'impuissance.

Enfin, le gendarme se tourne vers les trois amis :

— C'est bien ce que je disais, jeune homme. Vous regardez trop la télé. J'ai eu M. Lambert au bout du fil. Tout va très bien. Il a vendu sa propriété. Il dit qu'il préfère la tranquillité d'un appartement à sa vieille bicoque, et qu'il en a assez de travailler son jardin. Il vous remercie de ce que vous avez fait pour lui mais vous demande de ne plus le revoir. Voilà ! L'affaire est classée. Je vous ramène chez vous.

Les yeux de Marco se sont brusquement emplis de larmes. C'est comme si on venait de lui assener un violent coup de massue sur la tête. Tel un somnambule, il grimpe dans la fourgonnette. Il ne voit même pas le regard goguenard des deux voyous à la banane. Pedro lui prend la main mais il ne la sent pas non plus. Il a l'impression de vivre une vie parallèle, comme dans ce film de science-fiction où le personnage principal vit dans deux mondes différents à la fois.

Ce n'est qu'aux abords de la ville que le jeune garçon recouvre un peu de sa lucidité.

— Excusez-moi ! Le commissaire Charvin est bien chez M. André Bouchard ? demande-t-il brusquement au lieutenant.

— Oui... Je vais d'ailleurs le retrouver. Pourquoi ?

— C'est pour la bague... Vous n'oubliez pas la bague..., insiste Marco.

Le gendarme pousse un soupir d'agacement puis, sortant la chevalière en or de sa poche, il l'examine attentivement. Il adresse un sourire au garçon.

— La bague, en effet...

11

La bague, en effet !...

APRÈS un bon bain et une demi-douzaine de rinçages, Marco a retrouvé figure humaine. Pedro, qui l'a accompagné, a finalement tout raconté à ses parents.

C'est donc avec une certaine gravité qu'ils voient redescendre le garçon. Celui-ci contemple ses mains :

— Le plus dur, c'est de faire partir le ciment sous les ongles ! constate Marco.

— Oui..., ajoute Pedro. Mais il y a pire... C'est la peau. A force, le ciment finit par brûler. C'est un produit chimique.

— Et pour les poumons, ça n'est pas fameux non plus ! rajoute le père de Marco.

Un silence lourd accompagne cette réflexion. Le garçon sent que cette conversation est un dérivatif. Le regard de son père est à la fois chargé de reproche et d'attendrissement. Que son fils n'ait pas eu confiance en lui a sûrement blessé l'amour-propre de l'infirme. Mais qu'il ait osé s'embarquer dans cette affaire avec toute sa générosité, il en serait plutôt fier, le père de Marco.

Il se racle la gorge plusieurs fois avant de dire :

— Il y a un espoir...

Marco sursaute.

— Un grand espoir !...

— Que veux-tu dire ? s'exclame le garçon.

— Je veux parler de... mes jambes !

Le cœur de Marco bat à tout rompre. Ce n'est pas ce qu'il attendait mais c'est peut-être plus fort encore.

— Le médecin m'a dit que dans six mois je pourrais retrouver l'usage presque total de mes jambes !

Marco sent une bouffée de joie intense lui gonfler la poitrine. Il se précipite dans les bras de son père, au risque de renverser le fauteuil roulant, et l'émotion le fait bredouiller.

— C'est formidable... super... pardon pour... j'aurais dû... ah ! c'est chouette !...

Pedro ne peut s'empêcher de sourire devant cette scène. Le père repousse gentiment l'enfant, et reprenant son ton bourru :

— Mais attention ! Quand je serai de nouveau sur mes jambes, il ne faudra plus me

"C'est formidable ... Super... pardon pour... J'aurais dû ... ah! C'est chouette !"

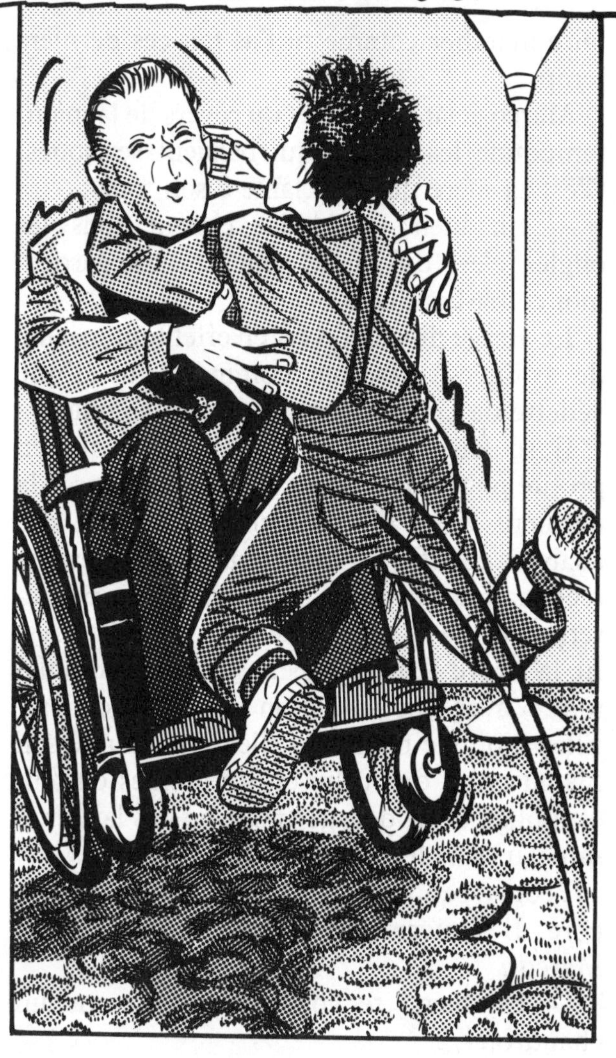

faire marcher comme tu l'as fait ces derniers temps !

Marco éclate de rire et du revers de la main, tamponne les larmes qui balaient ses joues. C'est sa mère qui s'exclame à son tour :

— Eh bien ! vrai ! Le ciment sous les ongles c'est difficile à enlever... Regardez-moi ce barbouillage !

Le visage du garçon est en effet tout maculé de traînées grisâtres comme celui d'une vedette de cinéma dont le rimmel a coulé.

Il se laisse essuyer par sa mère qui en profite pour lui raconter en long et en large la dernière visite du médecin, le résultat des analyses et enfin la bonne nouvelle. Après une rééducation intensive, l'ancien maçon pourra retrouver 80 % de ses moyens ambulatoires. Et la brave femme répète le mot « ambulatoire » avec une jubilation toute particulière. Elle en oublie même qu'elle débarbouille son fils au point que celui-ci, les oreilles en feu, est obligé de se dégager pour ne pas laisser... sa peau dans le gant de toilette.

Pedro, pendant ce temps, discute avec le père. Il s'interrompt pour se retourner vers Marco :

— Eh bien ! te voilà astiqué comme un chaudron !...

Marco sourit. Puis il s'assombrit aussitôt. Pourquoi faut-il que la vie soit faite de chaud et de froid ! Tout serait si merveilleux si Grégoire...

— Écoute-moi bien maintenant ! fait Pedro en observant attentivement le visage bouleversé du garçon. J'ai d'autres bonnes nouvelles à t'apprendre... Mais ne me saute pas dessus tout de suite car je ne suis pas aussi fort que ton père, moi...

Le garçon regarde intensément Pedro. Celui-ci prend un malin plaisir à le faire mijoter. Il lance un clin d'œil aux parents puis se décide enfin à parler :

— Le commissaire Charvin a décidé d'inculper Gérard Grumbert et ses complices pour tentative d'incendie volontaire et d'extorsion de signature. Il a rencontré M. Bouchard, le directeur de l'entreprise. Celui-ci n'était pas au courant des combines de son collaborateur et de ses acolytes.

— C'est la bague ! crie Marco. J'avais raison. Puis il ajoute : Mais pourquoi le père Grégoire a-t-il dit qu'il avait signé de son plein gré ?

— Il a signé... mais pas tout à fait de son plein gré... D'ailleurs, il va te le dire lui-même...

A cet instant, la porte s'ouvre et, devant Marco ébahi, apparaît le vieux Grégoire, fatigué mais souriant, s'appuyant sur le bras d'Antonio.

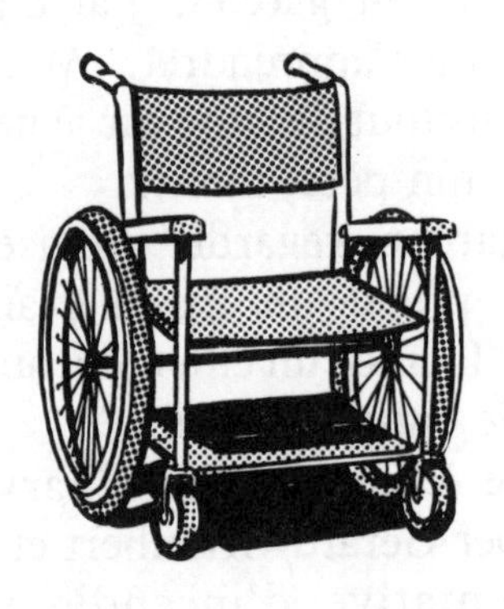

12

Ça va pas recommencer !

LE père Grégoire reprend sa respiration. Son enlèvement l'a beaucoup éprouvé. Il est resté sans boire et sans manger pendant près de trois jours. On lui avait juste permis de fumer sa pipe.

— Je me souviens ! dit Marco, l'odeur mentholée...

Il en profite pour bourrer la pipe du vieillard et la lui offrir comme une relique. Grégoire s'en empare et ses mains tremblent d'émotion, son œil gauche se ferme à demi.

— Quand ils sont venus me chercher, je me suis dit que ma dernière heure était arrivée, continue le jardinier, en tirant une ample bouffée qu'il laisse ensuite échapper en ronds de toutes les dimensions, à la grande admiration de ses interlocuteurs. J'ai donc fait le gros dos. Ils ne m'ont pas frappé mais j'ai compris que j'avais intérêt à me tenir à carreau. Heureusement, j'ai pu laisser le message que Marco a bien compris.

Le garçon rougit et précise :

— Grâce aux connaissances en Histoire de papa !

Son père lui sourit.

— Ce qu'ils voulaient, poursuit le vieillard, c'était bien sûr que je craque et que je finisse par accepter leurs conditions. J'ai résisté jusqu'à l'incendie...

L'évocation du drame semble plonger le jardinier dans une angoisse soudaine.

— Comment est-elle ? balbutie-t-il en s'adressant à Pedro.

Antonio a un signe de tête faisant comprendre à Pedro qu'il n'a pas voulu montrer la maison au vieux bonhomme.

— Ça va !... hésite le jeune ouvrier. Y'a du travail, mais ça va...

— Mais sans votre intervention..., remarque le père de Marco.

— Oh ! coupe Pedro, j'ai eu la chance de surprendre leur projet au moment où j'allais rechercher le vélo de Marco... J'ai pu ralentir la progression du feu...

— Contradictoire ! lance Marco, rêveur.

— Quoi ? demande son père.

— Rien..., sourit le garçon. Je pensais que

le vocabulaire s'apprenait parfois dans des circonstances bizarres.

— Je suis sûr que les pompiers ont complètement labouré mes plants de carottes, ronchonne le vieux jardinier. Puis il enchaîne : Après l'incendie, je me suis dit que tout était fini. Ils m'ont donc emmené chez ce notaire. Un drôle de margoulin. Des yeux de fouine qui vous font froid dans le dos. Avec une drôle de voix de canard boiteux, il me dit : « M. Lambert, nous sommes ici pour régler un malentendu. J'ai longuement étudié votre affaire et je reste persuadé qu'entre hommes de bonne volonté, tout peut encore s'arranger ! » J'avais l'impression d'être revenu à l'école. Il ne lui manquait que la baguette, au notaire. C'était pas comme maintenant, l'école. Les coups, ça pleuvait… Bref, je me fais tout petit sur ma chaise. Le notaire sort une chemise avec écrit en grosses lettres noires : TESTAMENT DE MONSIEUR JOHN CALDRIDGE. Ça m'a fait un choc. Je me suis rappelé M. Caldridge. Il était passé une ou deux fois à la maison quand j'étais encore un moutard. Il baragouinait un drôle de français. Excusez-moi, Antonio… Et il me donnait du chewing-gum. C'était rare le chewing-gum à l'époque. C'est dire si j'étais fier. A sa mort, mon père avait pleuré. C'était la deuxième fois que je voyais pleurer mon père. La première, c'est quand maman est morte... Bon... C'était un brave homme, ce milliardaire. Après tout, c'était pas sa faute, s'il était riche ! Bon, je continue...

Le jardinier se lisse la moustache avec une certaine ferveur. Tous sont suspendus à ses lèvres et retiennent leur souffle.

— Voilà le notaire qui me dit : « Si vous avez bien lu le testament de M. Caldridge, un codicille extrêmement important n'a pu vous échapper... » Qu'est-ce que c'est que cette bête-là, j'ai pensé... « Et ce codicille, continue la fouine, stipule que la donation faite par votre bienfaiteur deviendra caduque si la propriété qui vous est échue s'avère d'utilité publique... »

Devant la mine effarée de Marco, le vieux jardinier sourit :

— Eh ! c'est ce qu'il a dit... et comme toi, mon camarade, j'ai rien compris du tout... Alors le dénommé La Treille m'a traduit et voilà ce que ça donnait son charabia : « Monsieur Grumbert ici présent souhaite acquérir votre terrain pour en faire un parc de loisirs. L'utilité publique est donc incontestable ! »

Vous vous rendez compte ! bougonne le vieux, un parc de jeux. On me piétinera mes laitues, on jouera au ballon dans mes poireaux, on courra dans mes fraisiers ! Je ne sais pas ce qui m'a pris. Je suis devenu tout rouge et j'ai crié : « Non, non et non ! » Mais c'est qu'il est malin , ce notaire fouineur ! Il avait réponse à tout. Il m'a expliqué que, si je n'acceptais pas, on finirait par m'expulser et que, de toute façon, la justice leur donnerait raison. Ce que je ne savais pas, c'est qu'il mentait, l'animal. Et pas qu'un peu. C'est même lui qui avait rajouté la bestiole de codicille, comme il disait. Mais qu'est-ce que vous voulez, il m'a impressionné. J'ai toujours eu peur des gens qui parlent trop bien... Alors, je me suis laissé aller et... j'ai signé ! Ils m'ont remis un chèque. Un bout de papier contre la maison de mon enfance, des chiffres avec des zéros, contre mon passé... Les gendarmes en moto sont alors arrivés. J'ai vu mes gaillards pâlir comme des gamins pris en faute. Le notaire, lui, ne s'est pas démonté. Il m'a tenu ce discours, pendant que les gendarmes grimpaient l'escalier :

— La tranquillité et même la santé des gens que vous aimez dépendent de votre silence... Il serait préférable que vous ne les revoyiez plus.

Puis il s'est retourné vers le gros type nommé Xav. Celui-ci a fait craquer les jointures de ses doigts et il a ricané en disant :

— Je connais la maison de votre petit ami et je sais même que son père est invalide. Ça serait dommage qu'il ait un accident de fauteuil roulant !...

Une exclamation commune trahit l'indignation de l'auditoire. Le père de Marco frappe un coup sec sur le bras de son fauteuil :

— Mais c'est du chantage ! gronde-t-il.

— Vous croyez pas si bien dire..., continue le jardinier. Et j'ai marché...

— Je comprends maintenant le coup de fil au lieutenant Bernaud, remarque Marco.

— Qu'est-ce que je pouvais faire d'autre ? Comment savoir jusqu'où iraient ces malfaisants ?

Le garçon se souvient d'un film où l'héroïne se laisse compromettre par un odieux chantage pour sauver son mari. Cette évocation le fait frémir.

— La suite ! dit Pedro, vous la connaissez. Grâce à la bague, le commissaire Charvin a pu confondre Xavier Meyer qui a tout avoué. Le

"Le gros Xav s'est échappé"

trafic de plans, l'enlèvement, l'incendie. Il a donné ses complices et la police n'a eu qu'à les cueillir. Ils étaient tellement persuadés qu'ils ne risquaient rien qu'ils étaient tout simplement en train d'arroser leur bonne affaire... dans un bistrot !

— Je crois, intervient le jardinier en tapotant sa pipe dans le creux de sa main, je crois que vous oubliez un détail...

Il aspire un grand coup avant de dire :

— Le gros Xav s'est échappé.

— C'est pas vrai ! s'écrie Marco, ça va pas recommencer !...

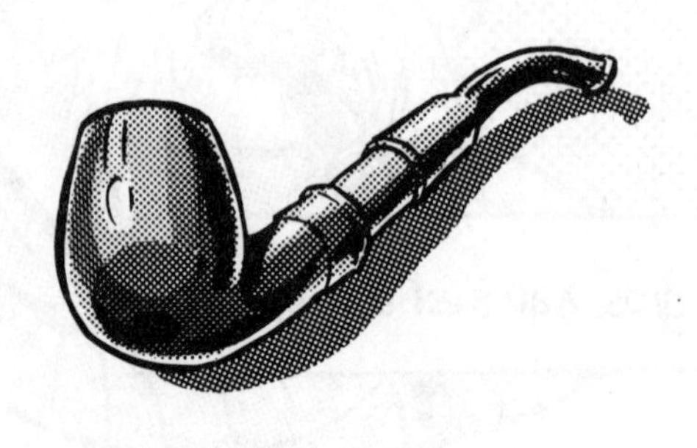

13

État de siège

SI l'on pénètre dans la maison de Marco, en ce dimanche d'automne, on sera étonné d'y trouver une assemblée peu habituelle.

Autour de la table de la salle à manger, quatre hommes battent les cartes. Il y a là Antonio, Pedro, Ahmed, un Algérien blond aux yeux bleus, ce qui a bien étonné Marco qui a appris qu'il était Kabyle et qu'il n'est pas rare que les Kabyles aient ces caractéristiques. Ahmed s'est joint à la petite troupe par solidarité, a-t-il dit, avec ses camarades travailleurs. Le quatrième homme n'est autre que le père de Marco qui se déplace de temps à autre pour se rendre à la cuisine d'où parviennent des odeurs appétissantes.

Apparemment, rien d'anormal donc dans cette partie de cartes. Sauf... si on regarde au pied de la table. Là s'alignent deux fusils de chasse, un revolver et un grand sabre courbe. Bref, un vrai arsenal.

En faisant le tour de la maison, on n'en a pas fini avec les surprises.

Dans une chambre, juché sur un fauteuil, à l'affût derrière un rideau, le père Grégoire, armé lui aussi d'une énorme pétoire, attend. Le fameux fusil dont il avait menacé les promoteurs véreux au début de cette histoire. Enfin, tournant et retournant comme une âme en peine, de la cave au grenier, la mère de Marco qu'une grande jeune fille essaie, en vain, de rassurer.

Marco, lui, observe tout ça d'un œil très intéressé. Une excitation particulière le fait circuler sans arrêt de la cuisine au salon pour annoncer, à intervalles réguliers : « Rien ! » Avec de temps en temps des variantes du genre : « Une voiture grise... mais c'est le voisin qui revient de la messe ! »

Antonio, qui est à l'origine de cette opération commando, finit par lui dire :

— Écoute, Marco, si lé gros Xav sé pointe, il n'enverra pas sa carte dé visite. Alors, sois gentil, va dans ta chambre et laisse faire les spécialistes !

Marco, un peu vexé, tourne les talons.

Il passe d'abord à la cuisine où il retrouve

son père venu jeter un œil et une narine sur la cocotte en fonte qui laisse fuser des poufs ! poufs ! de thym et de laurier.

— Hummm ! que ça sent bon !...

Le père de Marco, debout contre la cuisinière, est à peine appuyé à son fauteuil roulant. Le garçon plaisante :

— Dis donc ! la cuisine réussit des miracles...

Le père sourit :

— Tiens, goûte !

Il lui tend une cuillère fumante où frémit une sauce onctueuse.

Marco souffle sur la sauce puis la déguste à petits coups.

— Ouah !... Fameuse ! Un civet aux morilles ?

Le père acquiesce, une lueur de fierté dans le regard.

Marco pense que si son père se remet aux fourneaux, c'est que sa guérison est pratiquement assurée. Il s'en réjouit intérieurement mais ne peut s'empêcher de dire :

— Pourvu qu'on ait le temps de l'apprécier, ce civet !...

Puis il file dans la chambre se poster aux côtés de Grégoire.

— Tiens ! mon camarade ! Tu t'ennuies avec les beloteurs ?

— Dis, Grégoire, tu crois qu'il viendra ?

— C'est possible ! Avec des gens de son espèce, on ne sait jamais. Mais je parierais qu'il attendra la nuit.

— Tu vois les gendarmes ?

— Ils sont au bout de la rue. Il ne faut pas trop compter sur eux ! Ils commencent à en avoir soupé de cette histoire... Et puis, tu sais, ils pensent que le Xav en question s'est enfui pour un pays étranger. Ils n'ont peut-être pas tort. D'ailleurs, qu'est-ce qu'il a à gagner à venir se jeter dans la gueule du loup ?

— C'est une brute sans cervelle ! proclame Marco. Je suis sûr qu'il fera tout pour se venger.

Marco pense à ce film qui raconte l'histoire d'une vengeance impitoyable. Un homme traqué jusque dans le désert et qui est finalement rejoint en hélicoptère par ses poursuivants.

Instinctivement, le garçon relève la tête pour scruter le ciel. Il frissonne malgré lui et se rapproche du vieux jardinier :

— Dis, Grégoire, raconte-moi... avant !...

— Avant quoi ?

— Avant tout ça... Quand t'étais petit.

Le vieux comprend que cet appel est en fait un moyen pour calmer l'angoisse du garçon. Il prend donc sa respiration et commence lentement, les yeux perdus dans le vague :

— Il y a des gens de mon âge qui disent qu'à leur époque c'était mieux qu'aujourd'hui, que c'était le bon temps et patati et patata... Moi, je dirais pas ça... Avant, c'était ni plus ni moins bien que maintenant... Chaque époque a ses ombres et ses lumières... Tiens ! si je te disais que j'ai commencé à travailler à... 12 ans ! Dans une briqueterie. C'était dur. Toute la journée à trimbaler les pains de terre glaise. Le soir, je ne demandais pas mon reste et j'aurais pu dormir n'importe où tellement j'étais vidé...

— Tu n'as pas été beaucoup à l'école..., fait Marco, mi-envieux, mi-narquois.

— En 1920, on n'avait pas besoin de bacheliers. Surtout dans les familles modestes.

1920 ! Marco fait mentalement le calcul. Grégoire aura quatre-vingts ans l'année prochaine. Ce nombre lui donne le vertige. Quatre-vingts ans ! C'est carrément un film-fleuve.

— Mais, continue le vieux, l'avantage de cette époque, c'était qu'on prenait son temps... Tu sais, beaucoup de familles avaient souffert de la guerre. Rien qu'ici, dans le village de La Cordette, il y avait au moins un disparu par famille...

— Oh ! remarque Marco, La Cordette, c'est le nom qu'on a donné à la Maison des Jeunes. Amusant.

— La vie avait eu du mal à retrouver son rythme normal mais on voulait mettre les bouchées doubles. On voulait oublier les tranchées, la boue sanglante, les horreurs de la Marne... A vingt ans, j'ai passé mes samedis et mes dimanches à danser au son de l'accordéon. On allait canoter au bord de la rivière. Les filles étaient jolies avec leurs robes Charleston, leurs cheveux courts et leurs bottines lacées... Il n'y avait pas beaucoup de voitures et les rues sentaient encore le crottin. Quelques bourgeois s'étaient payé des monstres à quatre roues qui faisaient un boucan d'enfer mais n'allaient pas assez vite pour écraser nos poules. C'est à cette époque que mon père est devenu le garde de M. Caldridge. Le père de celui que j'ai connu après. J'avais quitté la briqueterie et je commençais à apprendre le métier de la nature avec mon père...

Un moment de nostalgie embue les yeux du vieillard. Marco se laisse bercer par sa voix.

Soudain, Grégoire se frotte les paupières

puis se penche vers le rideau. D'un geste brusque, il s'empare de son fusil.

— Qu'est-ce qu'il y a ? demande Marco, tout pâle. C'est ?...

— J'ai vu l'ombre d'un gros homme... Enfin, je crois..., articule Grégoire, nerveux.

Marco fonce au salon. Il agite les mains pour signaler le plus discrètement possible la nouvelle. Aussitôt, les quatre hommes abandonnent leurs cartes. Antonio, Pedro et Ahmed se précipitent aux fenêtres, armes au poing. Puis Antonio fait un signe à ses compagnons. Deux d'entre eux foncent vers le couloir qui donne sur la porte d'entrée. Antonio monte au premier et entrouvre la fenêtre qui surplombe la cour. Il glisse le canon de son fusil dans l'entrebâillement.

Des pas crissent sur le gravier.

La mère de Marco mange son torchon. Anna, la grande sœur, se serre dans ses bras. Au moment où les pas vont atteindre la porte, Pedro l'ouvre brutalement. En haut, les deux battants de la fenêtre claquent.

Un petit homme, tout rond, s'épongeant le front, reste figé devant les armes pointées vers lui. Son mouchoir lui en tombe des mains. Puis, se ressaisissant, il braille :

— Qu'est-ce que c'est que ce carnaval ?...

Commissaire Charvin ! Je suis bien chez le petit Marco Després ?

La fenêtre du haut se referme brutalement. Déconfits, Ahmed et Pedro laissent pendre lamentablement leurs armes. Marco, suivi de sa mère et de sa sœur, se précipite au-devant du visiteur.

— Excusez-les, monsieur le commissaire, dit l'enfant. Ces messieurs sont venus nous prêter main-forte...

Le soleil de midi, exceptionnellement chaud pour la saison, plombe le front cramoisi du commissaire. Celui-ci bougonne :

— L'autodéfense est strictement interdite. La police est là pour ça. De toute façon, il n'y a plus rien à craindre. Xavier Meyer est sous les verrous.

Un grand cri de soulagement jaillit de la bouche des occupants de la maison. Le commissaire Charvin, effaré, voit Marco et sa sœur entamer une danse de Peaux-Rouges, entrecoupée de gloussements tonitruants. Il finit enfin par placer :

— Est-ce que je peux entrer ? On m'a dit que M. Grégoire Lambert était chez vous. Je dois clore ce dossier... Puis il ajoute avec un sourire humide : Et puis, je boirais bien un petit quelque chose. Il fait soif aujourd'hui...

OUHOUHOUHOU !
OUH OUH OU !

Et les narines frémissantes, il précise : Un petit morceau, ça ne me déplairait pas non plus…

Quelques instants plus tard, le commissaire Charvin, installé devant une assiette de civet fumant et une bouteille de blanc sec dont il a déjà descendu la moitié, raconte l'arrestation du malfaiteur :

— Ça n'a pas été bien difficile. Cet imbécile s'est fait repérer en grillant trois feux rouges et en empruntant deux sens interdits. Il a voulu reculer et il s'est encastré dans une benne à ordures. La BMW noire a rétréci d'un bon mètre… Dites donc, vous avez mis une pointe d'ail dans votre lapin…

Le père de Marco acquiesce avec un sourire.

Le commissaire claque la langue, en connaisseur.

— Moi aussi, j'en mets un peu, je trouve que ça fait ressortir le fond de sauce. Mais faut pas trop…

— Non…, renchérit le père de Marco, sinon ça gâte la viande. Je frotte les morceaux, je ne laisse pas l'ail dans la sauce…

— Ah ! très bien, très bien…

Puis, sans transition, le commissaire enchaîne :

— Il est resté coincé entre le volant et le siège, beuglant comme un goret. Les agents n'ont plus eu qu'à le cueillir.

— Mais..., interrompt Marco, où l'avez-vous arrêté ?

— Près de l'aéroport du Tincy. Il voulait prendre un billet pour l'Argentine...

Une hilarité soudaine secoue le commissaire qui se sert un nouveau verre de blanc sec.

— L'Argenti... ti..ti..ne !... Au Tincy !

Marco fait écho à son rire et, devant la perplexité des ouvriers, il précise :

— Le Tincy est un aéroport de lignes intérieures... Donc, continue-t-il, il n'avait pas l'intention de mettre sa menace à exécution ?

— Quelle menace ? fait le commissaire redevenu grave mais sans arrêter de saucer son assiette avec un morceau de pain.

— Il voulait se venger de moi en s'en prenant à mon père !

— C'est exact ! approuve Grégoire. Je l'ai entendu dire : « Un accident de fauteuil roulant, c'est vite arrivé... »

— Ah ! je comprends maintenant pourquoi le lieutenant Bernaud a laissé ses hommes à l'entrée de la rue... Précaution bien inutile.

Le dénommé Xav n'avait qu'une idée en tête, prendre la fuite comme un gros rat qui quitte un navire en perdition…

Puis après avoir siroté son verre et poussé un profond soupir de satisfaction, il jette un regard circulaire sur la compagnie :

— En attendant, je vois, M. Desprès, que vous avez trouvé de solides gardes du corps.

— Oui, dit le père de Marco. C'est la solidarité des gars du bâtiment. Ça existe encore dans notre profession…

Et il jette un regard reconnaissant aux ouvriers qui se détournent, l'air gêné.

— En tout cas, vous maniez rudement bien la cuillère pour un pro de la truelle… ! Votre civet est une pure merveille !

Le père de Marco n'a jamais reçu un tel compliment, surtout de la part d'un policier. Il en rougit d'orgueil.

Après avoir réglé les dernières formalités, le commissaire Charvin prend congé. Serrant la main du vieux Grégoire, il ne peut s'empêcher d'ajouter :

— Vous en aurez bien besoin de votre solidarité, pour retaper les ruines de votre pauvre baraque.

Le vieux jardinier a blêmi. Comprenant qu'il a fait une gaffe, le commissaire s'éclipse rapidement, non sans pester contre cet idiot de soleil qui lui tape sur le crâne.

La mère de Marco fait boire au vieux Grégoire une bonne rasade d'eau-de-vie de prune. Marco râle contre ce maladroit de commissaire. C'est Pedro qui redonne au jardinier les couleurs qu'il avait perdues, en lui disant :

— Le gros œuvre est intact. De la bonne construction d'avant-guerre. M. Bouchard m'a promis son aide pour le matériel. Grâce à notre équipe de spécialistes, sous la direction de M. Després, vous pourrez retrouver votre maison refaite à neuf dans trois semaines au plus tard...

— En attendant, poursuit Anne, je vous offre ma chambre. Je ne l'occupe pas pendant la semaine. Et puis, j'ai un canapé dans le séjour, pour les week-ends !

Grégoire esquisse un geste de protestation. Il n'a jamais vécu chez les autres. Et il n'aime pas la charité.

Marco intervient avec un clin d'œil :

— Vous n'avez pas fini de me raconter le bon vieux temps. Je veux savoir comment le village de La Cordette s'est métamorphosé en ville nouvelle...

Puis, mystérieux, le garçon, après un signe

de sa mère, va chercher dans un tiroir du buffet, un épais album cartonné. Il le tend à Grégoire. L'œil gauche du petit vieux se ferme à demi, ses moustaches en tremblent :

— Oh ! dit-il, des mots croisés !... Une montagne de mots croisés !

— Oui, ajoute Marco en ouvrant l'album à la première page. Regardez, on a essayé de répondre à cette définition et on n'a rien trouvé : « En 8 lettres : vide les baignoires et remplit les lavabos. »

Aussitôt, le regard du bonhomme pétille et très assuré, il proclame :

— C'est ENTRACTE, voyons ! Une définition célèbre donnée par Tristan Bernard, un auteur de théâtre du début du siècle...

Marco sait maintenant qu'il a gagné.

— Alors, vous voyez bien qu'on a besoin de vous...

— Dans ce cas, consent le jardinier... Mais ce sera provisoire, n'est-ce pas, je ne voudrais pas m'imposer...

— Mais oui..., fait la mère de Marco. Juste le temps que vous finissiez votre album de mots croisés...

A la mine de Grégoire tâtant l'épais album, tous éclatent de rire.

14

Cours de carottes !

QUELQUES semaines plus tard, la maison de Grégoire est terminée.

Antonio, grimpé sur le toit, accroche à la cheminée un bouquet de blé mûr, symbole de prospérité. Des applaudissements éclatent dans le petit jardin. Le père de Marco, appuyé sur l'épaule de son fils, fait trois pas en avant pour admirer l'ouvrage. Pedro et Ahmed se regardent et sourient. Des voisins, les premiers habitants de Forêt-la-Ville, sont venus apporter leur témoignage de sympathie au jardinier. Ils ont appris ce qui lui était arrivé et, spontanément, une association s'est créée pour protéger la petite maison et son bois, dernier vestige de la grande forêt qui occupait l'endroit, jadis. Ils ont appelé l'association : « Les Amis de Grégoire ». Leur objectif principal est de donner tous les moyens au vieux bonhomme pour finir tranquillement ses jours dans un environnement qu'il aime. On a donc planté une haie de feuillus rapides qui entoure le domaine et le protégera des nuisances de la cité. Un ornithologue a fait le relevé des oiseaux qui se sont réfugiés dans cet espace conservé. Pas moins de vingt espèces ont été ainsi répertoriées, de la pie grièche au pivert en passant par la mésange charbonnière, la fauvette à aigrette et les oiseaux aquatiques. Mieux encore, les Eaux et Forêts, dont un membre de l'Association est inspecteur, ont classé certains arbres particulièrement rares, comme le fameux ginkgo biloba ou le cèdre bleu du Liban au magnifique panache toujours fourni. L'étang qui disparaissait sous une avancée proliférante de broussailles a été dégagé, nettoyé, empoissonné. Un groupe de pêcheurs a procédé à l'opération mais avec l'interdiction formelle de s'approcher de l'endroit... une gaule à la main.

Ce grand mouvement de solidarité a permis de créer un esprit nouveau dans la cité. Ses habitants, au lieu de s'ignorer superbement, comme ils le font d'habitude, se sont retrouvés pour des réunions, des veillées, des projets communs.

Un jour, quelque temps après qu'il eut

réintégré sa demeure, le vieux Grégoire vit arriver une dizaine de personnes, le sourire aux lèvres, l'œil affectueux. Il y avait des représentants de l'Association, une mère de famille, un instituteur et même l'adjoint au maire.

Le bonhomme était bien embarrassé. Comment faire asseoir tout ce beau monde dans sa minuscule cuisine ? Si on avait refait la maison, on ne l'avait pas agrandie. C'est donc la mort dans l'âme qu'il écouta ses visiteurs, debout, en cercle autour de la petite table recouverte d'une toile cirée neuve.

— Monsieur Grégoire ! dit l'instituteur, après avoir beaucoup réfléchi, nous avons pensé à un projet qui devrait vous plaire...

« Encore un projet ! » se dit le vieux bonhomme qui avait souvent entendu ce mot depuis son retour.

— Oui..., continua la mère de famille. C'est pour nos gosses.

— Nous avons imaginé en effet, reprit l'instituteur, que les enfants de l'école de la cité pourraient profiter de vos connaissances en matière écologique. Vous leur donneriez par exemple des cours de jardinage, des conseils pour respecter la nature et mieux connaître notre environnement. Monsieur l'adjoint au maire, ici présent, est prêt à y apporter sa caution...

— Tout à fait !..., intervient l'adjoint au maire. La mairie a décidé de vous dédommager pour le temps que vous consacreriez à cette activité.

— Et même l'Inspection académique serait partie prenante dans ce projet. Mes supérieurs ont approuvé très chaleureusement mon idée ! ajouta l'instituteur.

Après cet exposé à plusieurs voix, un lourd silence retomba dans la pièce. Chacun attendait la réponse de Grégoire. Celui-ci, devant les dix têtes tournées vers lui, baissa la sienne, mâchonna ses moustaches.

Le silence devint bientôt malaise quand le jardinier prit enfin la parole :

— Vous savez... euh... ben... les carottes, les poireaux ou les choux-fleurs n'ont pas les mêmes horaires que nous. Alors voilà !

Cette repartie plongea l'auditoire dans la plus sombre perplexité. Chacun se regardait. Qu'est-ce qu'il avait dit ? Qu'est-ce qu'il voulait dire ?

Le père Grégoire prit son courage à deux mains pour préciser :

— Des fois, il faut y passer une journée entière, d'autres fois, cinq minutes suffisent.

Un jour, faut se lever à l'aube, un autre jour on attendra la nuit tombante...

L'instituteur, un jeune homme au regard vif, comprit tout à coup ce que suggérait le vieux bonhomme :

— Bien sûr, M. Lambert, vous voulez dire que la nature n'a pas le même calendrier ni la même horloge que les hommes. Vous avez donc peur de figer votre travail dans un carcan horaire qui ne lui conviendrait pas... C'est bien ça ?

Le bonhomme hocha la tête et regarda avec sympathie ce jeune homme aux mains blanches qui avait l'air de si bien comprendre la nature.

L'adjoint au maire, lui, ne l'entendit pas de cette oreille :

— Comment, M. Lambert ! vous voulez dire que vous refusez notre proposition... Vraiment ! Ce n'est pas bien après tout ce que nous avons fait pour vous !

— Non ! ce n'est pas bien ! renchérit la mère de famille. Et nos gamins, vous pourriez un peu penser à eux, quand même !...

La moustache du jardinier pendait piteusement. Voilà qu'on le traitait d'égoïste. « C'est juste, se dit-il, ces braves gens m'ont tant aidé, et moi, comme un vieux grigou, je ne pense qu'à mes salades. »

Alors, il redressa la tête et dans un sourire, dit avec force :

— C'était pour me faire prier, messieurs-dames... Mais je suis bien content, oui, bien content que vous ayez pensé à moi pour ces cours... J'accepte avec reconnaissance...

Un soupir de soulagement courut dans l'assistance. L'adjoint au maire vint serrer la main du vieux avec effusion et il la secoua un bon moment. La mère de famille embrassa sa moustache. Seul, l'instituteur resta à l'écart, pensif.

Quelques jours plus tard, conduite par la maîtresse, une ribambelle de gamins envahit le jardin. Ils étaient très disciplinés, attentifs et intéressés. Au début, Grégoire essaya de les initier au maniement de la binette et du sarcloir. Il leur expliqua l'importance de l'air dans la terre pour qu'elle respire, de l'eau pour qu'elle s'abreuve, du soleil pour la croissance. Au bout d'un quart d'heure, les enfants décrochèrent. Le vieux bonhomme savait faire, il ne savait pas dire. Alors, deux ou trois gamins commencèrent à chahuter. Ils piétinèrent, sans faire exprès, un semis de salades. La maîtresse cria. L'ordre revint

"De toute façon, moi, quand je veux des salades, je vais au super-marché !"

mais le cœur n'y était plus. Surtout quand un gamin effronté lança : « De toute façon, moi, quand je veux des salades, je vais au supermarché ! »

Le vieux jardinier ne sut quoi répondre et il laissa repartir la classe avec un soulagement visible.

Marco ne reconnut plus son vieil ami.

Il était redevenu morose, craintif, bougon. Il eut beau essayer de le faire parler, le bonhomme resta muet. Il se contentait de répéter : « Ils sont bien gentils, mon petit camarade, bien gentils... » Et il mettait une telle tristesse dans ces mots que le cœur de Marco se serrait.

Il en parla à son père, un jour qu'il accompagnait celui-ci dans sa promenade journalière. Cette fois, une seule béquille lui était suffisante et il avait dépassé le cap du kilomètre. Il projetait même de refaire le carrelage de la cuisine qui s'écaillait.

Le maçon réfléchit longuement à ce que lui apprit son fils. Puis il dit :

— Ça ne m'étonne pas, ce qui arrive !

— Comment ça ?

— Vois-tu, Marco, parfois trop de gentillesse, ça fait plus de mal que de bien. C'est comme trop de sucre. Puis il ajouta : Grégoire est une bien vieille personne et comme toutes les vieilles personnes, il a ses habitudes. Il a son rythme de vie, ses manies. Tout ça, façonné, presque solidifié par le temps. Alors si on veut bousculer ses habitudes, on risque de casser quelque chose. Vois-tu, mon garçon, je crois que le meilleur moyen de faire plaisir à Grégoire, c'est de lui fiche la paix.

Marco réfléchit. Oui, il n'avait pas vu les choses sous cet aspect mais sans doute son père avait-il raison. Le vieux Grégoire lui faisait penser à un vieux sanglier solitaire sauvé des chasseurs par un groupe d'écologistes bienfaisants mais qui, sans y prendre garde, avait dérangé le territoire du solitaire, piétiné ses traces.

Il décida de prendre conseil également auprès de ses amis du chantier. Pedro fut du même avis que son père. Antonio ajouta qu'un vieil homme qui avait passé une bonne moitié de sa vie tout seul ne pouvait pas, du jour au lendemain, se transformer en conférencier agricole. Il dit même, au grand étonnement du garçon :

— Il y a une locution anglaise pour définir ça : *Every thing in its place!* Chaque chose à sa place... Et il précisa pour répondre à la surprise de Marco : J'ai appris l'anglais avec les Brigades internationales... C'est drôle, la guerre, ça sert quelquefois sans qu'on s'en doute...

Le soir même, au cours de la belote hebdomadaire et acharnée qui se déroulait maintenant régulièrement dans la petite cuisine de Grégoire, les amis finirent par arracher au vieil homme l'aveu qu'il aimait les enfants, certes, mais pas... en groupe.

Puis, comme pour se soulager, il lâcha rapidement ces phrases :

— C'est bien beau d'être devenu un héros mais je n'aime pas jouer les bêtes curieuses. Il y a beaucoup de gens qui viennent se promener jusqu'à la maison. Ils me montrent à travers la haie. Ils me sourient. C'est tout juste s'ils me balancent pas des cacahuètes...

La décision de Marco était prise. Il irait voir l'instituteur dès le lendemain.

Ce qu'il fit. Le jeune homme avait déjà compris que son projet ne fonctionnait pas comme il l'avait souhaité. « J'ai négligé le facteur humain », dit-il à Marco qui se demanda bien ce que venait faire le facteur dans cette affaire. Il annonça donc au garçon qu'il allait abandonner ces cours inutiles et Marco, tout heureux d'apprendre la bonne nouvelle à son vieux camarade, se rendit à la petite maison.

Là, une surprise de taille l'attendait. Pas de trace de Grégoire ! La porte était fermée. L'enfant sentit son estomac se nouer et il s'écria :

— Non ! le cauchemar ne va pas recommencer !

15

Ouf !

HEUREUSEMENT son angoisse disparut aussitôt à la lecture d'un mot que le jardinier avait placé bien en vue, sur le rebord de la fenêtre. Et ce mot disait :

Le jardinier est en congé. Il reviendra bientôt. Pour avoir de ses nouvelles, s'adresser chez Mme veuve Balard, Cité de Forêt-la-Ville, bât. A, esc. C, App. 124.

« Ah ! le vieux malin ! se dit Marco, il s'est trouvé une copine ! »

Il s'empressa d'annoncer la nouvelle à toute la bande. Chacun y alla de son petit commentaire :

— A son âge !

— Il n'y a pas d'âge !

— Ah, l'amour, toujours l'amour !

— *Qué bueno !*

Au soir tombant, la petite maison s'ouvrit de nouveau.

M. Grégoire Lambert, rasé de frais, vêtu de neuf, fit visiter sa propriété à une exquise vieille dame aux cheveux blancs comme neige mais dont l'allure fière et la silhouette encore élégante lui donnaient une... classe folle.

Celle-ci apprécia les connaissances jardinières, forestières et même cruciverbistes de son hôte, le félicita pour l'ordre et la propreté avec lesquels il tenait sa maison, fit la moue devant le fusil qu'il s'empressa de décrocher pour le soustraire à sa vue. Bref, Mme veuve Balard rangea les souvenirs d'Amédée Balard, mort en service commandé le 13 juin 1941, pour inventer d'autres souvenirs tout neufs avec Grégoire Lambert, célibataire pas vraiment endurci.

Marco et ses amis furent invités à rencontrer la nouvelle patronne des lieux. Le garçon fut ravi et il eut même cette phrase merveilleuse : « J'avais déjà un pépé, me voilà maintenant avec une mémé ! »

Mais la bonne dame ne voulut pas quitter son nouvel appartement. Elle y était bien, elle voyait du monde, ses voisins l'avaient adoptée. Elle convainquit le vieux jardinier de se risquer dans les méandres de la Cité au moins deux fois par semaine. Grégoire apprécia, entre autres, l'ascenseur, le vide-ordures, la salle de bains et même l'espace de jeux où s'ébattaient les enfants. Bientôt, quelques-uns le prirent pour confident. Il retrouva sa langue pour leur raconter les histoires de La Cordette. Et il rentrait chez lui, la tête bourdonnante des mille et une questions que les bambins lui posaient sur ces temps d'avant le déluge. Peu à peu, dans leur paysage de béton et de voitures, se superposèrent des images étranges qui montraient des fiacres, des chevaux, des chapeaux à voilette mais aussi des petits ouvriers de douze ans, des maisons sans radiateurs ni ampoules électriques, des jours de congé sans télé, des routes aux pavés bosselés où grinçaient des charrettes tirées par des bœufs...

Le soir, dans les appartements, ces histoires sautaient sur la table familiale. Sous les immeubles tout frais pondus, nombre d'habitants sentirent pousser les racines du passé. C'était bizarre. C'était passionnant.

Pour ne pas se laisser déborder, le vieux Grégoire trouva une idée amusante. Quand il était en forme pour raconter, il passait ses moustaches à la laque en les pointant vers le haut. S'il était fatigué ou si simplement il voulait être tranquille, il les laissait pendre.

Dehors, dans la nuit tombante, des dizaines de lumières se sont allumées...

Dans ce cas, aucun gamin ne venait le déranger.

Au cours d'une fameuse partie de belote que Mme veuve Balard avait dû concéder au vieux bonhomme, celui-ci eut cette remarque qui fit sourire :

— Finalement, le progrès, ça a du bon !

— Ah ! dit Marco, tu vas te faire installer le téléphone ?

Il savait bien que le bonhomme avait horreur de ces machines qui vous surprennent dans votre intimité.

— Non... grâce au progrès, je vous ai rencontrés...

Puis, se tournant vers la dame Balard en train de lui tricoter un chandail pour l'hiver :

— Et quand je dis « vous », je ne t'oublie pas, ma chère Adélaïde.

— Par exemple ! J'espère bien ! gronda la vieille dame.

Marco, pensif, ajouta :

— En tout cas, grâce à cette histoire, j'espère bien devenir cinéaste, pour de bon. D'ailleurs, j'ai déjà commencé à écrire le scénario de mon premier film. Ça s'appellera : *Du rififi dans les poireaux !*

— Et on sera dedans ? demanda Pedro.

— Bien sûr ! Tous ! Car vous êtes tous mes héros...

Un moment de silence plana dans la petite cuisine, dont profita Antonio pour abattre ses atouts.

Dehors, dans la nuit tombante, des dizaines de lumières se sont allumées sur les flancs élancés des immeubles. Mais, malgré leur taille impressionnante, ceux-ci ne semblent pas écraser la petite maison et son îlot de verdure.

Au contraire, on dirait qu'ils l'entourent, comme des géants bienfaisants.

Table des matières

ACHEVÉ D'IMPRIMER
SUR LES PRESSES DE L'IMPRIMERIE
PUBLI-OFFSET
MERCUÈS 46090 CAHORS

DÉPÔT LÉGAL : NOVEMBRE 1987
N° 85178